*英汉注释

The most popular Chinese textbook for foreigners all over the world at present

第三版

汉语会话301句

CONVERSATIONAL CHINESE 301

□ 康玉华 来思平 编著 Kang Yuhua & Lai Siping

图书在版编目(CIP)数据

汉语会话 301 句·上/康玉华　来思平编著. -3 版
—北京:北京语言大学出版社, 2005.7(2014.12 重印)
ISBN 978-7-5619-1403-8

Ⅰ. 汉…
Ⅱ. ①康… ②来…
Ⅲ. 汉语-口语-对外汉语教学-教材
Ⅳ. H195.4

中国版本图书馆 CIP 数据核字 (2005)第 015273 号

书　　名: 汉语会话 301 句·上

责任印制: 姜正周
出版发行: 北京语言大学出版社
社　　址: 北京市海淀区学院路 15 号　邮政编码: 100083
网　　址: www.blcup.com
电　　话: 发行部　82303648/3591/3651
编辑部　82303647/3592
读者服务部　82303653/3908
网上订购电话　82303668
客户服务信箱　service@ blcup. com
印　　刷: 北京中科印刷有限公司
经　　销: 全国新华书店

版　　次: 2005 年 7 月第 3 版　2014 年 12 月第 22 次印刷
开　　本: 787 毫米 × 1092 毫米　1/16　印张: 13.75
字　　数: 145 千字
书　　号: ISBN 978-7-5619-1403-8/H·05014
定　　价: 38.00 元

第三版前言

《汉语会话301句》初版于1990年。1998年修订再版，并被列入“北语对外汉语精版教材”系列。《汉语会话301句》出版过英文、法文、日文和韩文等多个语种的注释本，长销不衰，不同版本累计销量在30万套以上，堪称当今全球最畅销的对外汉语教材。为了不断延续这本经典教材的持久生命力，我社出版了这本教材的第三版。

第三版对内容的修订主要体现在两方面。第一，在保留原有语言点的前提下，更换能反映当前社会生活的内容；第二，在增加新内容的基础上，对语言点安排的循序渐进、前后照应进一步细加琢磨，使之趋于完善。

第三版在版式和装帧设计上也有很大的改观。开本变小，便于携带；双色印刷，详略更加突出。

考虑到国外越来越多的语言学校选用这本教材，作者专门编写了“导读”，供教学参考。为了灵活适应不同教学周期，第三版分为上、下两册。

《汉语会话301句》第三版将会陆续出版多个语种的注释本，以满足世界各地不同母语学习者的需求。

北京语言大学出版社

2005年7月

前言

《汉语会话301句》是为初学汉语的外国人编写的速成教材。

本书共40课，另有复习课8课。40课内容包括"问候"、"相识"等交际功能项目近30个，生词800个左右以及汉语基本语法。每课分句子、会话、替换与扩展、生词、语法、练习等六部分。

本书注重培养初学者运用汉语进行交际的能力，采用交际功能与语法结构相结合的方法编写。将现代汉语中最常用、最基本的部分通过生活中常见的语境展现出来，使学习者能较快地掌握基本会话301句，并在此基础上通过替换与扩展练习，达到能与中国人进行简单交际的目的，为进一步学习打下良好的基础。

考虑到成年人学习的特点，对基础阶段的语法部分，用通俗易懂的语言，加上浅显明了的例句作简明扼要的解释，使学习者能用语法规律来指导自己的语言实践，从而起到举一反三的作用。

练习项目多样，练习量也较大；复习课注意进一步训练学生会话与成段表达，对所学的语法进行归纳总结。各课的练习和复习课可根据实际情况全部或部分使用。

编者

1989年3月

PREFACE

Conversational Chinese 301 is intended to be an intensive course book for foreigners who have just started to learn Chinese.

This book consists of 40 lessons and 8 reviews. The 40 lessons encompass nearly 30 communicative functions such as "Greetings" and "Making an Acquaintance", about 800 new words and the fundamentals of Chinese grammar. Each lesson is divided into six parts: Sentences, Conversation, Substitution and Extension, New Words, Grammar, and Exercises.

This book lays emphasis on improving the ability of the learner to use Chinese for communication. It integrates the communicative function with the grammatical structure and presents the most essential and useful part of the language in the linguistic environments one is usually exposed to in daily life, so as to enable the learner to master the 301 basic conversational sentences fairly quickly, and on that basis, through "Substitution and Extension" practice, to acquire the ability to carry on simple conversations with the Chinese. In this way, the book will also help lay a solid foundation for further study.

In view of the characteristics of language learning of the adult, we use not only easy-to-understand language, but also simple grammar. All this will help him use the grammatical rules to guide his own language practice and draw inferences about other cases from one instance.

The exercises are varied and plentiful. The reviews give due attention to improving the conversational and narrative skills of the learner, as well as systematically summarizing the grammar points covered. The exercises in each lesson and the reviews may be used in totality or in part, according to actual circumstances.

The Compilers

March,1989

Dǎo dú
导读
INSTRUCTION

There are six sections included in each lesson:

- 句子 Sentences
- 生词 New Words
- 会话 Conversation
- 替换与扩展 Substitution and Extension
- 语法 Grammar
- 练习 Exercises

Note: In classroom teaching, **New Words** are generally learned first. After the students have mastered the new words, we could proceed to the **Sentences**, **Conversation**, **Substitution and Extension** and finally **Exercises**. The teaching of **Grammar** is conducted through the whole process. Students who are self-taught can also follow this order.

To illustrate how to use this book, let's take Lesson 10 for example now.

生词 New Words

The form, sound and meaning of a word should be learned by heart. Attention should be paid to the collocation of words. The words students have learned should be used to form phrases, or short sentences.

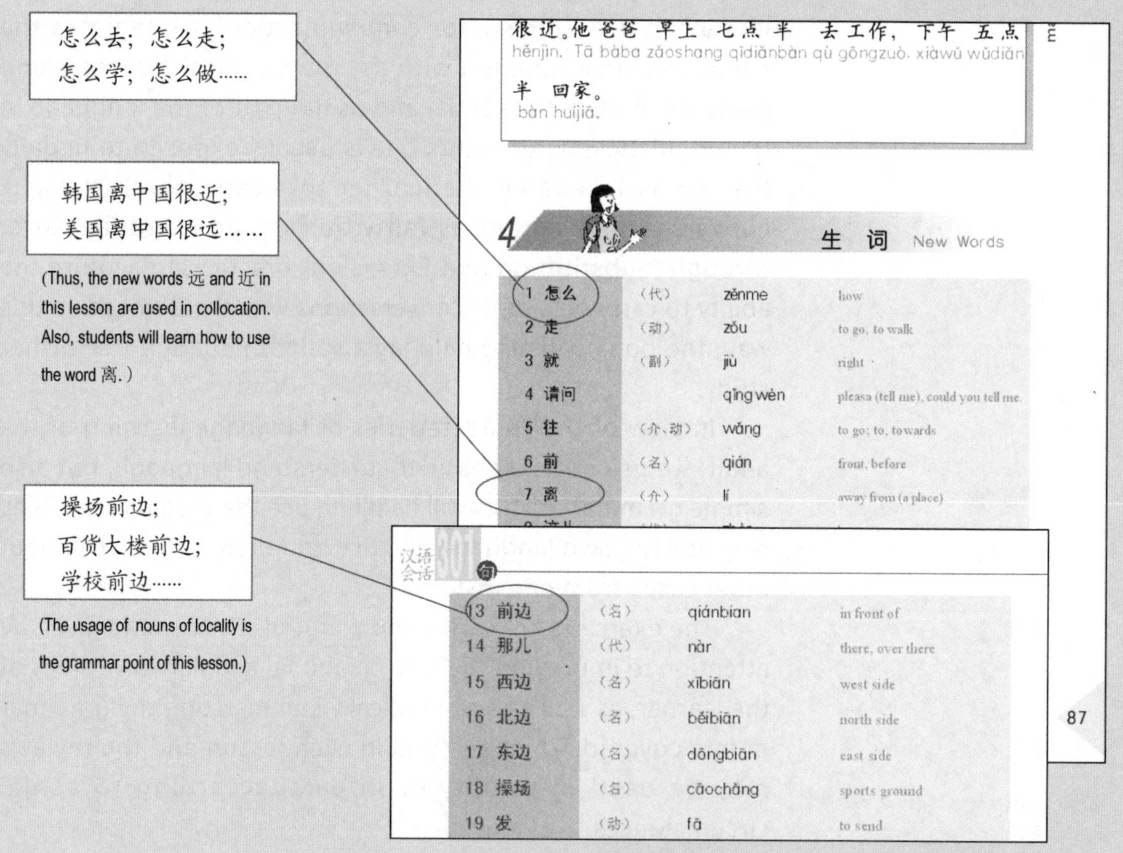

怎么去；怎么走；
怎么学；怎么做……
韩国离中国很近；
美国离中国很远……
(Thus, the new words 远 and 近 in this lesson are used in collocation. Also, students will learn how to use the word 离.)
操场前边；
百货大楼前边；
学校前边……
(The usage of nouns of locality is the grammar point of this lesson.)
很近。他爸爸早上七点半去工作，下午五点
hěnjìn. Tā bàba zǎoshang qīdiǎnbàn qù gōngzuò. xiàwǔ wǔdiǎn
半 回家。
bàn huíjiā.
4 生 词 New Words
1 怎么 （代） zěnme how
2 走 （动） zǒu to go, to walk
3 就 （副） jiù right
4 请问 qǐngwèn please (tell me), could you tell me
5 往 （介、动） wǎng to go; to, towards
6 前 （名） qián front, before
7 离 （介） lí away from (a place)
87
汉语会话301句
13 前边 （名） qiánbian in front of
14 那儿 （代） nàr there, over there
15 西边 （名） xībiān west side
16 北边 （名） běibiān north side
17 东边 （名） dōngbiān east side
18 操场 （名） cāochǎng sports ground
19 发 （动） fā to send

In teaching new words, the words students have learned before should be recycled and the learning of the new sentences and grammar points should be emphasized. Some complicated grammar points and the usage of function words can be illustrated and explained in teaching of **Sentences**.

句子 Sentences

The **Sentences** of each lesson are carefully chosen. Students should read them aloud repeatedly until they learn them by heart. Different methods to learn these sentences can be adopted.

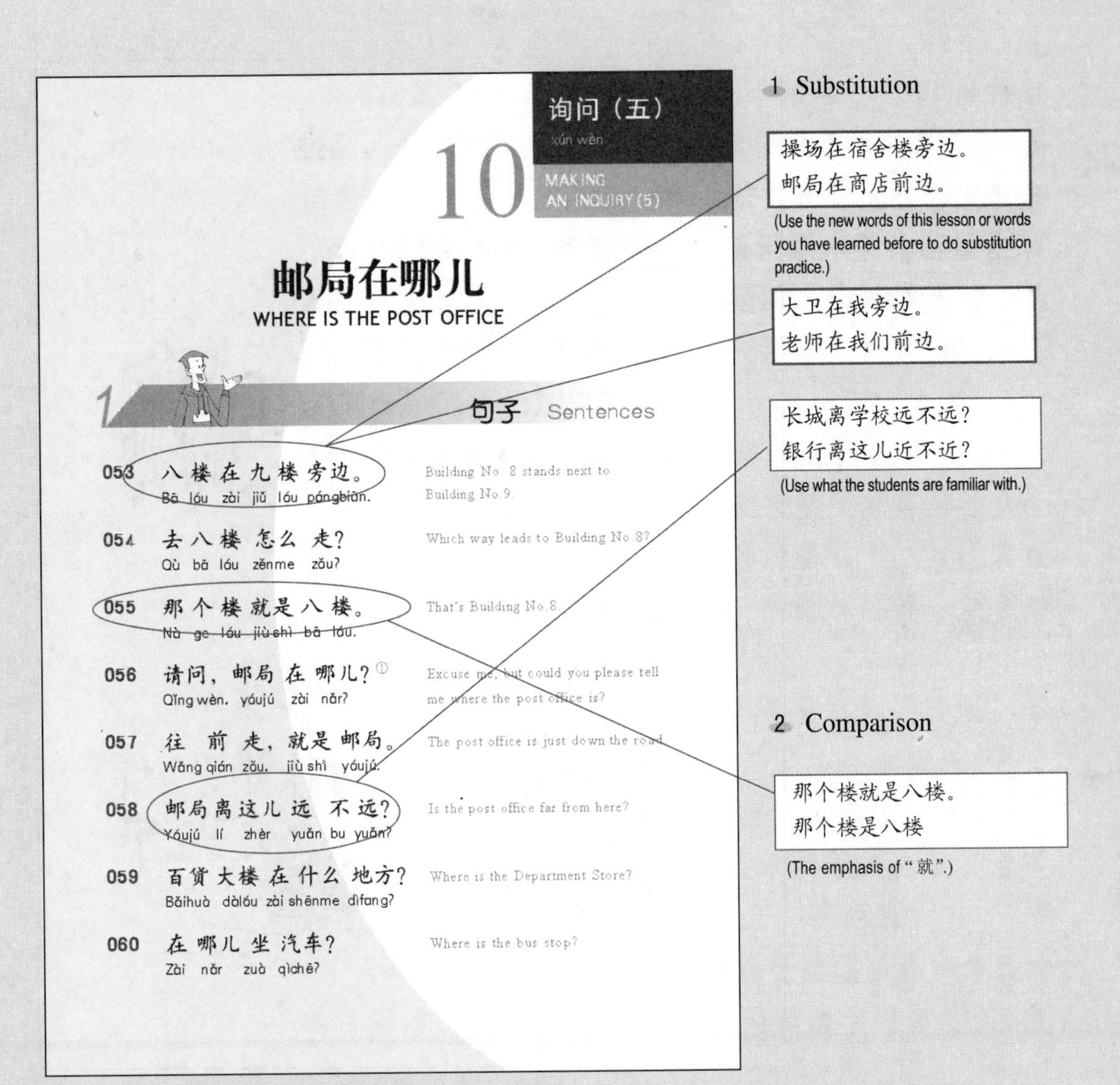

询问（五）
xún wèn
10
MAKING AN INQUIRY (5)
邮局在哪儿
WHERE IS THE POST OFFICE
1 句子 Sentences
053 八楼在九楼旁边。 Bā lóu zài jiǔ lóu pángbiān. Building No. 8 stands next to Building No. 9.
054 去八楼怎么走? Qù bā lóu zěnme zǒu? Which way leads to Building No. 8?
055 那个楼就是八楼。 Nà ge lóu jiùshì bā lóu. That's Building No. 8.
056 请问，邮局在哪儿? Qǐngwèn, yóujú zài nǎr? Excuse me, but could you please tell me where the post office is?
057 往前走，就是邮局。 Wǎng qián zǒu, jiù shì yóujú. The post office is just down the road.
058 邮局离这儿远不远? Yóujú lí zhèr yuǎn bu yuǎn? Is the post office far from here?
059 百货大楼在什么地方? Bǎihuò dàlóu zài shénme dìfang? Where is the Department Store?
060 在哪儿坐汽车? Zài nǎr zuò qìchē? Where is the bus stop?
1 Substitution
操场在宿舍楼旁边。
邮局在商店前边。
(Use the new words of this lesson or words you have learned before to do substitution practice.)
大卫在我旁边。
老师在我们前边。
长城离学校远不远?
银行离这儿近不近?
(Use what the students are familiar with.)
2 Comparison
那个楼就是八楼。
那个楼是八楼
(The emphasis of "就".)

会话 Conversation

One conversation is generally composed of several sections. Students may learn one by one.

Students may talk freely with others, based on the topic of "Asking about the Way" in this lesson.

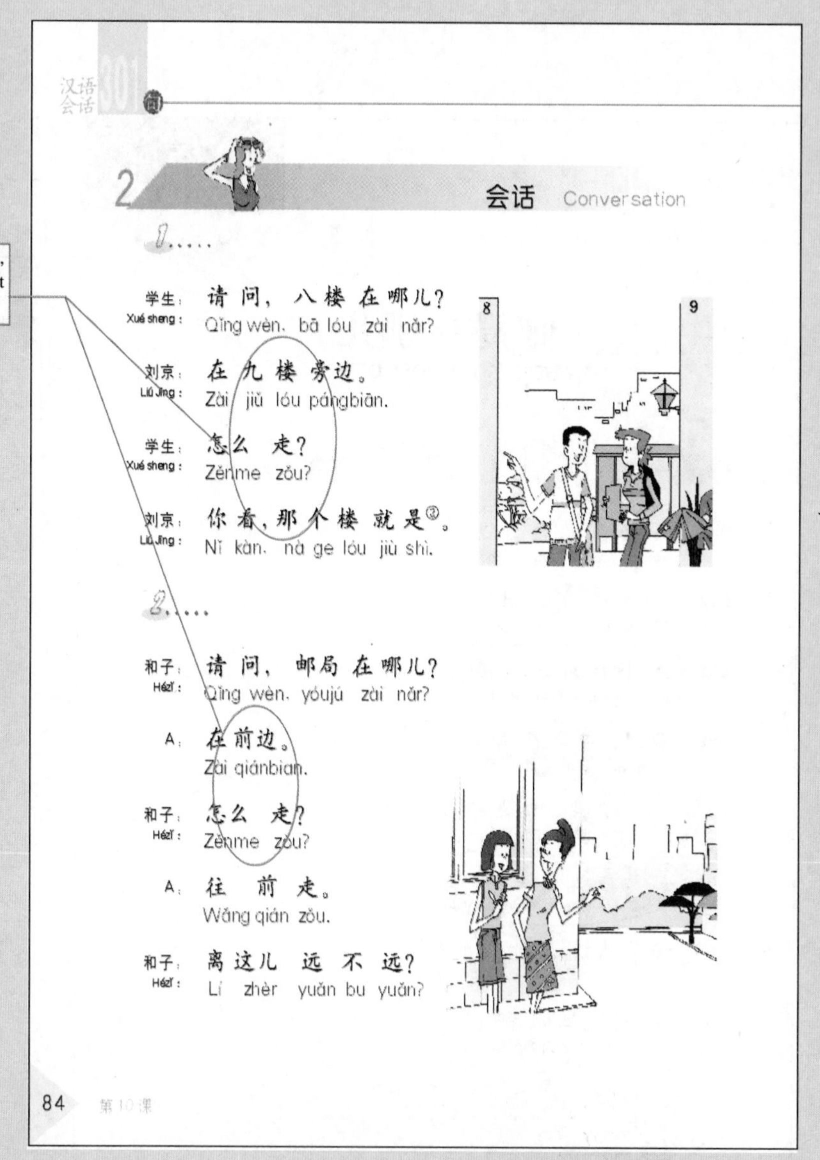
汉语会话301句

2 会话 Conversation

1 ……

学生 Xuésheng：请问，八楼在哪儿？
Qǐng wèn, bā lóu zài nǎr?

刘京 Liú Jīng：在九楼旁边。
Zài jiǔ lóu pángbiān.

学生 Xuésheng：怎么走？
Zěnme zǒu?

刘京 Liú Jīng：你看，那个楼就是②。
Nǐ kàn, nà ge lóu jiù shì.

2 ……

和子 Hézǐ：请问，邮局在哪儿？
Qǐng wèn, yóujú zài nǎr?

A：在前边。
Zài qiánbian.

和子 Hézǐ：怎么走？
Zěnme zǒu?

A：往前走。
Wǎng qián zǒu.

和子 Hézǐ：离这儿远不远？
Lí zhèr yuǎn bu yuǎn?

84 第10课

In class, students may first read the exact lines of the conversation in roles and then perform the role-playing without referring to the original version of the conversation. When coming to the exercises, students may conduct a free conversation related to the topic of the lesson. For those who study on their own, they may read the conversation repeatedly and try to converse with someone else afterwards.

替换与扩展 Substitution and Extension

1 Substitution

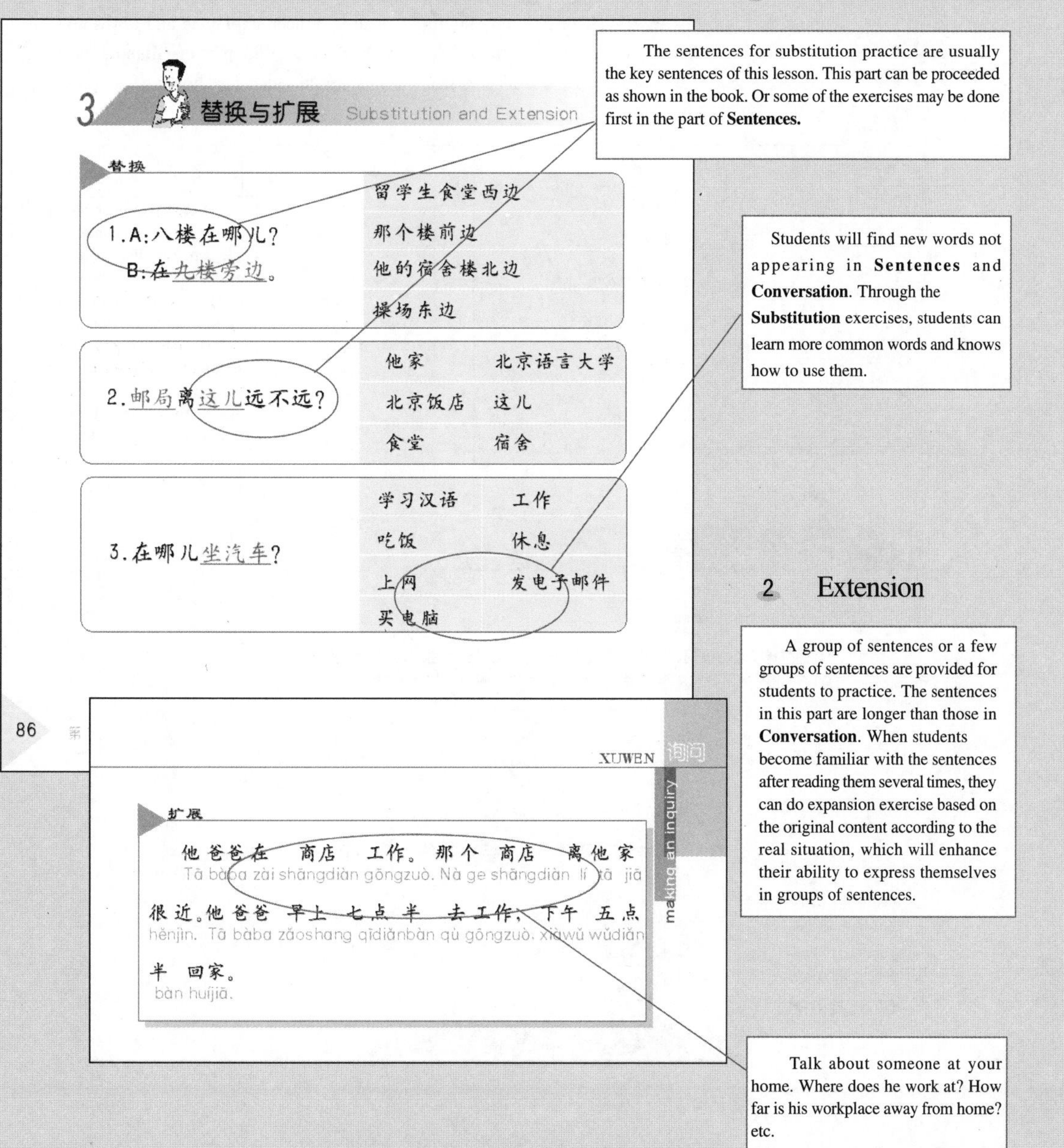

3 替换与扩展 Substitution and Extension

替换

1. A：八楼在哪儿？
   B：在九楼旁边。

留学生食堂西边
那个楼前边
他的宿舍楼北边
操场东边

2. 邮局离这儿远不远？

他家	北京语言大学
北京饭店	这儿
食堂	宿舍

3. 在哪儿坐汽车？

学习汉语	工作
吃饭	休息
上网	发电子邮件
买电脑	

86 第

XUWEN 询问 making an inquiry

扩展

他爸爸在商店工作。那个商店离他家很近。他爸爸早上七点半去工作，下午五点半回家。
Tā bàba zài shāngdiàn gōngzuò. Nà ge shāngdiàn lí tā jiā hěnjìn. Tā bàba zǎoshang qīdiǎnbàn qù gōngzuò, xiàwǔ wǔdiǎn bàn huíjiā.

The sentences for substitution practice are usually the key sentences of this lesson. This part can be proceeded as shown in the book. Or some of the exercises may be done first in the part of **Sentences.**

Students will find new words not appearing in **Sentences** and **Conversation**. Through the **Substitution** exercises, students can learn more common words and knows how to use them.

2 Extension

A group of sentences or a few groups of sentences are provided for students to practice. The sentences in this part are longer than those in **Conversation**. When students become familiar with the sentences after reading them several times, they can do expansion exercise based on the original content according to the real situation, which will enhance their ability to express themselves in groups of sentences.

Talk about someone at your home. Where does he work at? How far is his workplace away from home? etc.

语法 Grammar

The preceding parts have given a language context for the grammar points the students must grasp in this lesson. These grammar points have already been explained and illustrated in the context. In classroom teaching, the teacher should deal with the part of Grammar in a moderate way to avoid making students worried. More example sentences should be supplied to enhance students' understanding.

Some grammar points should be demonstrated as a key part. Take the directional complement for instance, the teacher can demonstrate by "going out" and "coming in", and ask students to perform the action of "taking out" and "putting in". Or the teacher may do the action and ask students to speak. Do not repeat what the book says and give too much explanation.

13 前边			
14 那儿	（代）	nàr	there, over there
15 西边	（名）	xībiān	west side
16 北边	（名）	běibiān	north side
17 东边	（名）	dōngbiān	east side
18 操场	（名）	cāochǎng	sports ground
19 发	（动）	fā	to send
20 电子邮件		diànzǐ yóujiàn	e-mail
21 近	（形）	jìn	near

5 语 法 Phonetics

1. 方位词 Words of location

"旁边"、"前边"等都是方位词。方位词是名词的一种，可以作主语、宾语、定语等句子成分。方位词作定语时，一般要用"的"与中心语连接，例如"东边的房间"、"前边的商店"等。

"旁边" and "前边……
may serve as such senten……
they are normally linked……
east side), "前边的商店……

2. 正反疑问句

将谓语中的动词或……
An affirmative-negat……
and its negative form, e.g.

(1) 你今天来不……
(3) 这是不是你……

they are normally linked with the headword with "的", e.g. "东边的房间" (the room in the east side), "前边的商店"(the shop in front).

2. 正反疑问句 The affirmative-negative question

将谓语中的动词或形容词的肯定式和否定式并列，就构成了正反疑问句。例如：

An affirmative-negative question is formed by juxtaposing the verb or adjective of the predicate and its negative form, e.g.

(1) 你今天来不来？	(2) 这个电影好不好？
(3) 这是不是你们的教室？	(4) 王府井离这儿远不远？

6 练 习 Exercises

1 选词填空 Choose from the words given in the brackets to fill in the blanks

（去 在 离 回 买 往）

(1) 八楼______九楼不太远。

(2) 食堂……

练习 Exercises

Exercises are closely related to the previous parts of **Substitution**, **Extension**, and **Conversation**. The teacher may select some of the exercises according to the specific situation. Teaching and learning should be flexible.

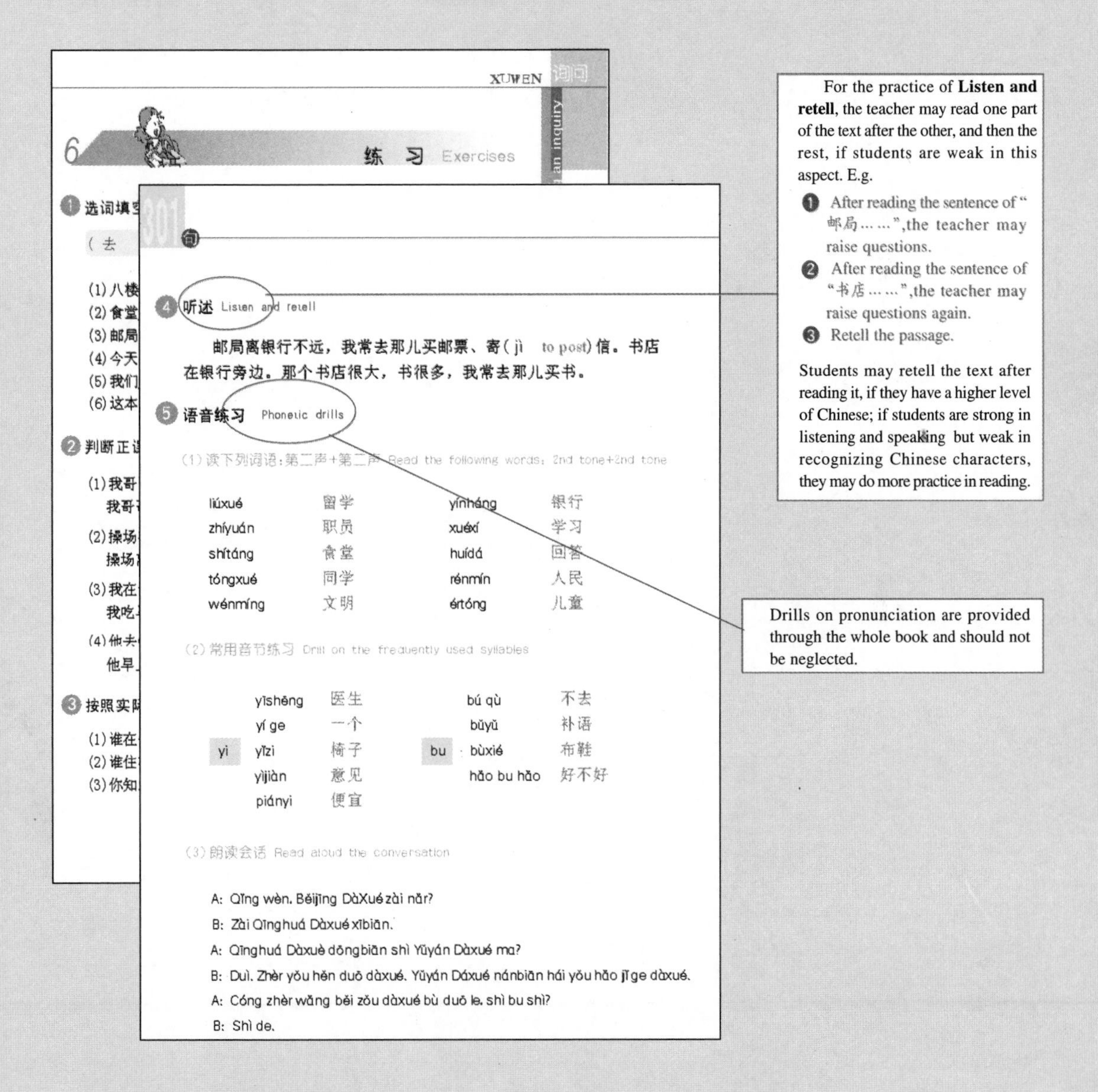

If possible, exercises can be done the next day when students have mastered what they learned. Free conversation can also be conducted when students have the review lessons the next day.

目 录

CONTENTS

汉语拼音字母表

The Chinese Phonetic Alphabet

印刷体 printed forms	书写体 written forms	字母名称 names
A ɑ	A a	[a]
B b	B b	[pɛ]
C c	C c	[ts'ɛ]
D d	D d	[tɛ]
E e	E e	[ɤ]
F f	F f	[ɛf]
G g	G g	[kɛ]
H h	H h	[xa]
I i	I i	[i]
J j	J j	[tɕiɛ]
K k	K k	[k'ɛ]
L l	L l	[ɛl]
M m	M m	[ɛm]

印刷体 printed forms	书写体 written forms	字母名称 names
N n	N n	[nɛ]
O o	O o	[o]
P p	P p	[p'ɛ]
Q q	Q q	[tɕ'iou]
R r	R r	[ar]
S s	S s	[ɛs]
T t	T t	[t'ɛ]
U u	U u	[u]
V v	V v	[vɛ]
W w	W w	[wa]
X x	X x	[ɕi]
Y y	Y y	[ja]
Z z	Z z	[tsɛ]

词类简称表

Abbreviations

1.	(名)	名词	míngcí	noun
2.	(代)	代词	dàicí	pronoun
3.	(动)	动词	dòngcí	verb
4.	(能愿)	能愿动词	néngyuàn dòngcí	modal verb
5.	(形)	形容词	xíngróngcí	adjective
6.	(数)	数词	shùcí	numeral
7.	(量)	量词	liàngcí	measure word
8.	(副)	副词	fùcí	adverb
9.	(介)	介词	jiècí	preposition
10.	(连)	连词	liáncí	conjunction
11.	(助)	助词	zhùcí	particle
		动态助词	dòngtài zhùcí	aspect particle
		结构助词	jiégòu zhùcí	structural particle
		语气助词	yǔqì zhùcí	modal particle
12.	(叹)	叹词	tàncí	interjection
13.	(象声)	象声词	xiàngshēngcí	onomatopoeia
14.	(头)	词头	cítóu	prefix
15.	(尾)	词尾	cíwěi	suffix

问候（一）
wènhòu

GREETINGS (1)

01

你好
HOW DO YOU DO

1 句子 Sentences

001	你 好！[①] Nǐ hǎo !	How do you do?
002	你 好 吗？[②] Nǐ hǎo ma?	How are you?
003	很 好。 Hěn hǎo.	Very well.
004	我 也 很 好。 Wǒ yě hěn hǎo.	I am very well, too.

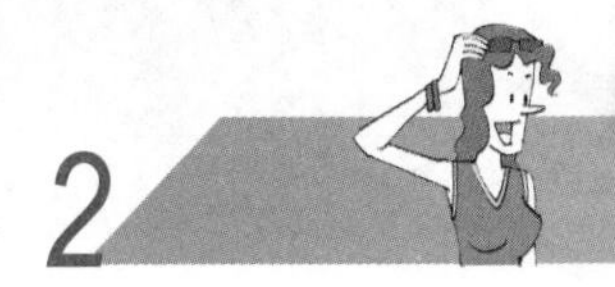

2 会话 Conversation

1 . . .

大卫：玛丽，你好！
Dàwèi: Mǎlì, nǐ hǎo!

玛丽：你好，大卫！
Mǎlì: Nǐ hǎo, Dàwèi!

2 . . .

王兰：你好吗？
Wáng Lán: Nǐ hǎo ma?

刘京：很好。你好吗？
Liú Jīng: Hěn hǎo. Nǐ hǎo ma?

王兰：我也很好。
Wáng Lán: Wǒ yě hěn hǎo.

注释：Notes

① "你好！" Hello! / Hi!

日常问候语。任何时间、任何场合以及任何身份的人都可使用。对方的回答也应是 "你好"。

It is an everyday greeting and is used at any time, on any occasion and by a person of any social status. The reply should also be "你好".

② "你好吗？" How are you?

常用问候语。回答一般是"我很好" 等套语。一般用于已经相识的人之间。

It is an everyday greeting and is usually used between acquaintances. A polite expression such as "我很好" can be used as a reply.

3 替换与扩展 Substitution and Extension

替换

1. 你 好！	你们			
2. 你 好吗？	你们	她	他	他们

扩展

1. 你们 好 吗？
   Nǐmen hǎo ma?

   我们 都 很 好。你 好 吗？
   Wǒmen dōu hěn hǎo. Nǐ hǎo ma?

   我 也 很 好。
   Wǒ yě hěn hǎo.

2. 你 来 吗？
   Nǐ lái ma?

   我 来。
   Wǒ lái.

   爸爸、妈妈 来 吗？
   Bàba、māma lái ma?

   他们 都 来。
   Tāmen dōu lái.

4 生 词 New Words

1 你	(代)	nǐ	you
2 好	(形)	hǎo	well
3 吗	(助)	ma	(modal particle)
4 很	(副)	hěn	very
5 我	(代)	wǒ	I, me
6 也	(副)	yě	also, too
7 你们	(代)	nǐmen	you (plural)
8 她	(代)	tā	she, her
9 他	(代)	tā	he, him
10 他们	(代)	tāmen	they, them
11 我们	(代)	wǒmen	we, us
12 都	(副)	dōu	all
13 来	(动)	lái	to come
14 爸爸	(名)	bàba	father, dad
15 妈妈	(名)	māma	mother, mum

专名 Proper Names

1 大卫	Dàwèi	David
2 玛丽	MǎLì	Mary

3 王兰	Wáng Lán	Wang Lan
4 刘京	Liú Jīng	Liu Jing

5 语音 Phonetics

1 声母、韵母（1）Initials and finals（1）

声母 initials	b p m f d t n l g k h
韵母 finals	a o e i u ü ai ei ao ou en ie uo an ang ing iou (-iu)

2 拼音（1）Phonetic alphabet（1）

	a	o	e	ai	ei	ao	ou	an	en	ang
b	ba	bo		bai	bei	bao		ban	ben	bang
p	pa	po		pai	pei	pao	pou	pan	pen	pang
m	ma	mo	me	mai	mei	mao	mou	man	men	mang
f	fa	fo			fei		fou	fan	fen	fang
d	da		de	dai	dei	dao	dou	dan	den	dang
t	ta		te	tai		tao	tou	tan		tang
n	na		ne	nai	nei	nao	nou	nan	nen	nang
l	la		le	lai	lei	lao	lou	lan		lang
g	ga		ge	gai	gei	gao	gou	gan	gen	gang
k	ka		ke	kai	kei	kao	kou	kan	ken	kang
h	ha		he	hai	hei	hao	hou	han	hen	hang

3 声调 Tones

汉语是有声调的语言。汉语语音有四个基本声调。分别用声调符号“ˉ(第一声)、ˊ(第二声)、ˇ(第三声)、ˋ(第四声)”表示。

Chinese is a tone language. It has four basic tones, which are indicated respectively by the tone graphs: ˉ (the first tone), ˊ (the second tone), ˇ (the third tone) and ˋ (the fourth tone).

声调有区别意义的作用。如mā(妈) má(麻) mǎ(马) mà(骂)，声调不同，意思也不同。

The tones are used to distinguish meanings of a syllable. Different tones have different meanings, e.g. mā (mother), má (hemp), mǎ (horse), mà (to curse).

当一个音节只有一个元音时，声调符号标在元音上(元音i上有调号时要去掉i上的点儿，如nǐ)。一个音节的韵母有两个或两个以上的元音时，声调符号要标在主要元音上，如lái。

When there is only one vowel in a syllable, the tone-graph is put above the vowel (if the graph is above the vowel i, the dot of i is omitted, e.g.nǐ). When there are two or more than two vowels in the final of a syllable, the tone-graph falls on the main vowel, e.g. lái.

声调示意图 Diagram of tones

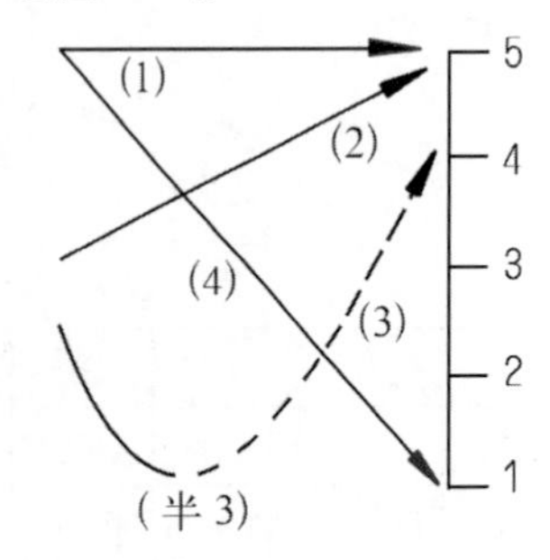

高	high-pitch
半高	mid-high-pitch
中	middle-pitch
半低	mid-low-pitch
低	low-pitch

ˉ 第一声 lst tone　ˊ 第二声 2nd tone
ˇ 第三声 3rd tone　ˋ 第四声 4th tone

4 轻声 Neutral tone

普通话里有一些音节读得又轻又短，叫作轻声。书写时轻声不标调号，例如：bàba(爸爸)、tāmen(他们)。

In Common Speech, some syllables are pronounced both light and short. Such a tone is called the neutral tone, which lacks a tone-graph representation in writing, e.g. bàba (father), tāmen (they).

5 变调 Change of tones

(1) 两个第三声音节连在一起时，前一个音节变为第二声(调号仍用“ˇ”)，如：“你好 nǐ hǎo”的实际读音为“ní hǎo”。

When two 3rd tones come together, the first tone changes into the 2nd (but its tone-graph remains ¡), e.g. “你好 nǐhǎo”(How are you) is actually pronounced as “ní hǎo”.

(2) 第三声字在第一、二、四声和大部分轻声字前边时，要变成“半三声”。“半三声”就是只读原来第三声的前一半降调。例如：你们 nǐmen→nǐ men。

When a syllable in the 3rd tone precedes a syllable in the lst, 2nd, 4th or neutral tone, it is pronounced in the half 3rd tone, that is, the tone only falls but doesn't rise, e.g. “你们” nǐmen→nǐmen.

6 拼写说明 (1) Notes on spelling (1)

以 i 或 u 开头的韵母，前面没有声母时，必须把 i 改写为 y；把 u 改写为 w。例如：ie → ye; uo → wo。

Finals beginning with i or u, when not preceded by any initials, should be changed respectively into y and w, e.g. ie → ye, uo → wo.

6 练 习 Exercises

1 完成对话 Complete the following conversations

(1) A：你好！
B：____________！
A：他好吗？
B：____________。

(2) A、B：你好！
C：____________！

(3) 玛丽：你好吗？
王兰：____________。你好吗？
玛丽：____________。刘京好吗？
王兰：____________，我们________。

2 根据情境会话 Situational dialogues

(1) 你和你的同学见面，互相问候。

You meet and greet your classmates.

(2) 你去朋友家，见到他/她的爸爸、妈妈，向他们问候。

On a visit to your friend's home, you greet his / her father and mother.

3 在课堂上同学、老师互相问候 A teacher and his students greet each other in class

4 语音练习 Phonetic drills

(1) 辨音 Discrimination of sounds

bā	八	pā	啪	dā	搭	tā	他
gòu	够	kòu	扣	bái	白	pái	排
dào	到	tào	套	gǎi	改	kǎi	凯

(2) 变调 Change of tones

bǔkǎo	补考	hěn hǎo	很好
dǎ dǎo	打倒	fěnbǐ	粉笔
měihǎo	美好	wǔdǎo	舞蹈
nǐ lái	你来	hěn lèi	很累
měilì	美丽	hǎiwèi	海味
hěn hēi	很黑	nǎ ge	哪个

(3) 轻声 Neutral tone

tóufa	头发	nàme	那么
hēi de	黑的	gēge	哥哥
lái ba	来吧	mèimei	妹妹

02

你身体好吗
HOW ARE YOU

1 句子 Sentences

005 你 早！[1]
Nǐ zǎo!
Good morning!

006 你 身体 好 吗？
Nǐ shēntǐ hǎo ma?
How are you?

007 谢谢！
Xièxie!
Thanks!

008 再见！
Zàijiàn!
Good-bye!

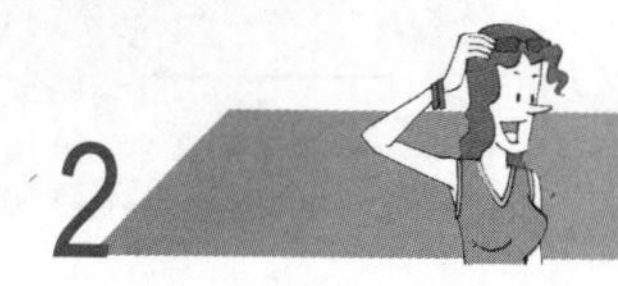

2 会话 Conversation

1...

李老师：你 早！
Lǐ lǎoshī：Nǐ zǎo!

王老师：你 早！
Wáng lǎoshī：Nǐ zǎo!

李老师：你 身体 好 吗？
Lǐ lǎoshī：Nǐ shēntǐ hǎo ma?

王老师：很 好。谢谢！
Wáng lǎoshī：Hěn hǎo. Xièxie!

2...

张老师：你们 好 吗？
Zhāng lǎoshī：Nǐmen hǎo ma?

王 兰：我们 都 很 好。您[2]身体 好 吗？
Wáng Lán：Wǒmen dōu hěn hǎo. Nín shēntǐ hǎo ma?

张老师：也 很 好。再见！
Zhāng lǎoshī：Yě hěn hǎo. Zàijiàn!

刘 京：再见！
Liú Jīng：Zàijiàn!

注释：Notes

① “你早！” Good morning!

问候语。只在早上见面时说。

It is an everyday greeting that is used only when people meet each other in the morning.

② “您”（The respectful form of “你”）

第二人称代词“你”的尊称。通常用于老年人或长辈。为了表示礼貌，对同辈人，特别是初次见面时，也可用“您”。

It is a respectful form of the second person pronoun “你”. It is normally reserved for old people or elders. To show politeness, one may extend its use to people of his own generation, especially at the first meeting.

3 替换与扩展 Substitution and Extension

替换

1. 你 早！ | 您 | 你们 | 张老师 | 李老师

2. 你 身体好吗？ | 他 | 你们 | 他们 | 王老师 | 张老师

扩展

1. 五号 九号 十四号 二十七号 三十号 三十一号
wǔ hào jiǔ hào shísì hào èrshíqī hào sānshí hào sānshíyī hào

2. A：今天 六 号。李 老师 来 吗？
Jīntiān liù hào. Lǐ lǎoshī lái ma?

B：她 来。
Tā lái.

4 生 词 New Words

1 早	(形)	zǎo	early
2 身体	(名)	shēntǐ	health
3 谢谢	(动)	xièxie	to thank
4 再见	(动)	zàijiàn	to say good-bye
5 老师	(名)	lǎoshī	teacher
6 您	(代)	nín	you
7 一	(数)	yī	one
8 二	(数)	èr	two
9 三	(数)	sān	three
10 四	(数)	sì	four
11 五	(数)	wǔ	five
12 六	(数)	liù	six
13 七	(数)	qī	seven
14 八	(数)	bā	eight
15 九	(数)	jiǔ	nine
16 十	(数)	shí	ten
17 号(日)	(名)	hào(rì)	date
18 今天	(名)	jīntiān	today

专名 Proper Names

1 李	Lǐ	Li (surname)
2 王	Wáng	Wang (surname)
3 张	Zhāng	Zhang (surname)

5 语音 Phonetics

1 声母、韵母 (2) Initials and finals (2)

声母 initials	j	q	x	z	c	s
	zh	ch	sh	r		
韵母 finals	(an)	(en)	(ang)	eng		ong
	ia	iao	(ie)	(-iu)		
	ian	in	iang	(ing)		iong
	-i	er				

2 拼音 (2) Phonetic alphabet (2)

	i	ia	iao	ie	iou	ian	in	iang	ing	iong
j	ji	jia	jiao	jie	jiu	jian	jin	jiang	jing	jiong
q	qi	qia	qiao	qie	qiu	qian	qin	qiang	qing	qiong
x	xi	xia	xiao	xie	xiu	xian	xin	xiang	xing	xiong

	a	e	-i	ai	ei	ao	ou	an	en	ang	eng	ong
z	za	ze	zi	zai	zei	zao	zou	zan	zen	zang	zeng	zong
c	ca	ce	ci	cai		cao	cou	can	cen	cang	ceng	cong
s	sa	se	si	sai		sao	sou	san	sen	sang	seng	song
zh	zha	zhe	zhi	zhai		zhao	zhou	zhan	zhen	zhang	zheng	zhong
ch	cha	che	chi	chai		chao	chou	chan	chen	chang	cheng	chong
sh	sha	she	shi	shai	shei	shao	shou	shan	shen	shang	sheng	shong
r		re	ri			rao	rou	ran	ren	rang	reng	rong

3 拼写说明（2） Notes on spelling (2)

（1）韵母 i 或 u 自成音节时，前边分别加 y 或 w。例如：i→yi；u→wu。

When the finals i and u form syllables by themselves, they are preceded respectively by y and w, e.g. i→yi, u→wu.

（2）-i 代表z、c、s后的舌尖前元音［ɿ］，也代表zh、ch、sh、r后的舌尖后元音［ʅ］。在读zi、ci、si 或 zhi、chi、shi、ri 时，不要把-i 读成［i］。

-i represents not only the blade-alveolar vowel［ɿ］after z, c, s, but also the blade-palatal vowel［ʅ］after zhi, chi, shi, r. In zi, ci, si, or zhi, chi, shi, ri, -i should not be articulated as［i］.

（3）iou在跟声母相拼时，中间的元音o省略，写成-iu。调号标在后一元音上。例如：jiǔ（九）。

When iou follows an initial, the vowel o in the middle should be omitted and thus be written as -iu. The tone-graph is put above the last vowel, e.g. jiǔ（九）.

6 练习 Exercises

1 完成对话 Complete the conversations

(1) A B：老师，________！
老师：________！

(2) 大卫：刘京，你身体________？
刘京：________，谢谢！
大卫：王兰也好吗？
刘京：________，我们________。

(3) 王兰：妈妈，您身体好吗？
妈妈：________。
王兰：爸爸________？
妈妈：他也很好。

2 熟读下列词语 Read until fluent the following phrases

也来
都来
再来

很好
也很好
都很好

谢谢你
谢谢您
谢谢你们
谢谢老师

老师再见
王兰再见
爸爸、妈妈再见

3 根据情境会话 Situational dialogues

(1) 两人互相问候并问候对方的爸爸、妈妈。
Two people greet each other and inquire after each other's parents.

(2) 同学们和老师见面，互相问候（同学和同学，同学和老师；一个人和几个人，几个人和另外几个人互相问候）。
A teacher meets his students. They greet one another (More specifically,the students greet one another, the students greet the teacher, one person greets several other persons and one group greets another) .

4 语音练习 Phonetic drills

（1）辨音 Discrimination of sounds

商量	shāngliang	——	xiǎngliàng	响亮
鸡心	jīxīn	——	zhīxīn	知心
杂技	zájì	——	zázhì	杂志
大喜	dà xǐ	——	dàshǐ	大使
不急	bù jí	——	bù zhí	不直
牺牲	xīshēng	——	shīshēng	师生

（2）辨调 Discrimination of tones

八棵	bā kē	——	bà kè	罢课
布告	bùgào	——	bù gāo	不高
牵线	qiān xiàn	——	qiánxiàn	前线
小姐	xiǎojiě	——	xiǎo jiē	小街
教室	jiàoshì	——	jiàoshī	教师

（3）读下列词语 Read the following words

zǒu lù	走路	chūfā	出发
shōurù	收入	liànxí	练习
yǎn xì	演戏	sùshè	宿舍

03

你工作忙吗
ARE YOU BUSY WITH YOUR WORK

1 句子 Sentences

009	你 工作 忙 吗？ Nǐ gōngzuò máng ma?	Are you busy with your work?
010	很 忙，你 呢？① Hěn máng, nǐ ne?	Yes, very much. And you?
011	我 不 太 忙。 Wǒ bú tài máng.	I am not very busy.
012	你 爸爸、妈妈 身体 好 吗？ Nǐ bàba、māma shēntǐ hǎo ma?	How are your father and mother?

2 会话 Conversation

1 . . .

李老师：你 好！
Lǐ lǎoshī: Nǐ hǎo!

张老师：你 好！
Zhāng lǎoshī: Nǐ hǎo!

李老师：你 工作 忙 吗？
Lǐ lǎoshī: Nǐ gōngzuò máng ma?

张老师：很 忙，你 呢？
Zhāng lǎoshī: Hěn máng, nǐ ne?

李老师：我 不 太 忙。
Lǐ lǎoshī: Wǒ bú tài máng.

2 . . .

大卫：您 早！
Dàwèi: Nín zǎo!

玛丽：老师 好！
Mǎlì: Lǎoshī hǎo!

张老师：你们 好！
Zhāng lǎoshī: Nǐmen hǎo!

大卫：老师 忙 吗？
Dàwèi: Lǎoshī máng ma?

张老师：很 忙，你们 呢？
Zhāng lǎoshī : Hěn máng, nǐmen ne?

大卫：我 不 忙。
Dàwèi : Wǒ bù máng.

玛丽：我 也 不 忙。
Mǎlì : Wǒ yě bù máng.

3. . .

王兰：刘京，你 好！
Wáng Lán : Liú Jīng, nǐ hǎo!

刘京：你 好！
Liú Jīng : Nǐ hǎo!

王兰：你 爸爸、妈妈 身体 好 吗？
Wáng Lán : Nǐ bàba、māma shēntǐ hǎo ma?

刘京：他们 都 很 好。谢谢！
Liú Jīng : Tāmen dōu hěn hǎo. Xièxie!

注释：Notes

① **"你呢？" What about you?**

承接上面的话题提出问题。如："我很忙，你呢？"意思是"你忙吗？"；"我身体很好，你呢？"意思是"你身体好吗？"。

It is a question asked in connection with the preceding topic, e.g. "我很忙，你呢？", which means "Are you busy?";"我身体很好，你呢？", which means "How are you?"

3 替换与扩展 Substitution and Extension

替换

1. 老师 忙 吗?	好	累

2. 你 爸爸、妈妈 身体好吗? ——他们都很好。	哥哥、姐姐	弟弟、妹妹

扩展

1. 一月　二月　六月　十二月
   yīyuè　èryuè　liùyuè　shí'èryuè

2. 今天　十月　三十一　号。
   Jīntiān　shíyuè　sānshíyī　hào.

   明天　十一月　一号。
   Míngtiān　shíyīyuè　yī hào.

   今年　二〇〇五　年，　明年　二〇〇六　年.
   Jīnnián　èr líng líng wǔ nián，míngnián èr líng líng liù nián.

4 生词 New Words

1 工作	（动、名）	gōngzuò	to work; work

2 忙	(形)	máng	busy
3 呢	(助)	ne	(modal particle)
4 不	(副)	bù	not, no
5 太	(副)	tài	very, extremely
6 累	(形)	lèi	tired, worn out
7 哥哥	(名)	gēge	elder brother
8 姐姐	(名)	jiějie	elder sister
9 弟弟	(名)	dìdi	younger brother
10 妹妹	(名)	mèimei	younger sister
11 月	(名)	yuè	moon, month
12 明天	(名)	míngtiān	tomorrow
13 今年	(名)	jīnnián	this year
14 零(〇)	(数)	líng	zero
15 年	(名)	nián	year
16 明年	(名)	míngnián	next year

5 语音 Phonetics

1 韵母(3) Finals(3)

韵母 finals	ua uo uai uei (-ui) uan uen (-un) uang ueng
	üe üan ün

2 拼音（3） Phonetic alphabet（3）

	u	ua	uo	uai	uei (-ui)	uan	uen (-un)	uang
d	du		duo		dui	duan	dun	
t	tu		tuo		tui	tuan	tun	
n	nu		nuo			nuan		
l	lu		luo			luan	lun	
z	zu		zuo		zui	zuan	zun	
c	cu		cuo		cui	cuan	cun	
s	su		suo		sui	suan	sun	
zh	zhu	zhua	zhuo	zhuai	zhui	zhuan	zhun	zhuang
ch	chu	chua	chuo	chuai	chui	chuan	chun	chuang
sh	shu	shua	shuo	shuai	shui	shuan	shun	shuang
r	ru	rua	ruo		rui	ruan	run	
g	gu	gua	guo	guai	gui	guan	gun	guang
k	ku	kua	kuo	kuai	kui	kuan	kun	kuang
h	hu	hua	huo	huai	hui	huan	hun	huang

	ü	üe	üan	ün
n	nü	nüe		
l	lü	lüe		
j	ju	jue	juan	jun
q	qu	que	quan	qun
x	xu	xue	xuan	xun

3.拼写说明（3） Notes on spelling (3)

❶ ü自成音节或在一个音节开头时写成yu。如 Hànyǔ(汉语)、yuànzi(院子)。

ü will be written as yu when it forms a syllable by itself or appears at the beginning of a syllable, e.g. Hànyǔ (Chinese), yuànzi (courtyard).

❷ j、q、x与ü及以ü开头的韵母相拼时，ü上的两点省略。如 jùzi(句子)、xuéxí(学习)。

When j, q, x are put before ü and a final beginning with ü, the two dots in ü will be omitted, e. g. jùzi (sentence), xuéxí (study).

❸ uei、uen 跟声母相拼时，中间的元音省略，写成 -ui、-un。如 huí(回)、dūn(吨)。

When uei and uen follow initials, they change respectively into -ui and -un in writing, i.e., the vowel in the middle is deleted, e.g. huí (return), dūn (ton).

4.“不”、“一”的变调 Change of tones of “不” and “一”

“不”在第四声字前或由第四声变来的轻声字前读第二声“bú”。如 bú xiè（不谢）、bú shì(不是)。在第一、二、三声前仍读第四声“bù”。如 bù xīn(不新)、bù lái(不来)、bù hǎo(不好)。

“不” is pronounced in the 2nd tone (bú) before a syllable in the 4th tone or a syllable in the neutral tone reduced from the 4th tone, e.g. bú xiè (Not at all), bú shì (No, it isn't). But “不” is still pronounced in the 4th tone (bù) when it precedes a syllable in the lst, 2nd or 3rd tone, e.g. bù xīn (not new), bù lái (not come), bù hǎo (not good).

“一”在第四声字前或由第四声变来的轻声字前读第二声“yí”。如“yí kuài”(一块)、“yí ge”(一个)；在第一、二、三声字前读第四声“yì”。如“yì tiān”(一天)、“yì nián”(一年)、“yìqǐ”(一起)。

“一” is pronounced in the 2nd tone (yí) before a syllable in the 4th tone or a syllable in the neutral tone reduced from the 4th tone, e.g. yí kuài (a block/bar), yí ge (a piece). But “一” is pronounced in the 4th tone(yì) when it precedes a syllable in the lst, 2nd or 3rd tone, e.g. yì tiān (a day),yì nián (a year), yìqǐ (together).

5. 儿化 Retroflexion with-r

er常常跟其他韵母结合在一起，使该韵母成为儿化韵母。儿化韵母的写法是在原韵母之后加-r。如：wánr (玩儿)、huār (花儿)。

er is often added to another final to make it retroflexed. The retroflex final is transcribed by adding r to the original final, e.g. wánr (play), huār (flower).

6 隔音符号 The dividing mark

ɑ、o、e开头的音节连接在其他音节后面时，为了使音节界限清楚，不致混淆，要用隔音符号“ ’ ”隔开。如 nǚ’ér(女儿)。

When a syllable beginning with ɑ, o or e is attached to another syllable, it is desirable to use the dividing mark “ ’ ” to clarify the boundary between the two syllables, e.g. nǚ’ér (daughter).

6 练习 Exercises

1 熟读下列词语并造句 Read until fluent the following phrases and make sentences

不好	都不忙	不累
不太好	也很忙	不太累
	都很忙	都不累

2 用所给的词完成对话 Complete the conversations with the given words

(1) A：今天你来吗？

B：________________。(来)

A：明天呢？

B：________________。(也)

(2) A：今天你累吗？

B：我不太累。________________？(呢)

A：我________________。(也)

B：明天你________________？(来)

A：________________。(不)

(3) A：你爸爸忙吗？

B：________________。(忙)

A：________________？(呢)

B：她也很忙。我爸爸、妈妈________________。(都)

3 根据实际情况回答下列问题 Answer the following questions according to actual situations

(1) 你身体好吗?
(2) 你忙吗?
(3) 今天你累吗?
(4) 明天你来吗?
(5) 你爸爸(妈妈、哥哥、姐姐……)身体好吗?
(6) 他们忙吗?

4 语音练习 Phonetic drills

(1) 辨音 Discrimination of sounds

主席	zhǔxí	——	chūxí	出席
上车	shàng chē	——	shàngcè	上策
生产	shēngchǎn	——	zēngchǎn	增产
滑动	huádòng	——	huódòng	活动
新桥	xīn qiáo	——	xīn qiú	新球
推销	tuīxiāo	——	tuìxiū	退休

(2) 辨调 Discrimination of tones

菜籽	càizǐ	——	cáizǐ	才子
同志	tóngzhì	——	tǒngzhì	统治
河水	héshuǐ	——	hē shuǐ	喝水
戏曲	xìqǔ	——	xīqǔ	吸取
回忆	huíyì	——	huìyì	会议

(3)“er” 和儿化韵　“er” and retroflex finals

értóng	儿童	nǚ'ér	女儿
ěrduo	耳朵	èrshí	二十

yíhuìr	一会儿	yìdiǎnr	一点儿
yíxiàr	一下儿	yǒudiǎnr	有点儿
huār	花儿	wánr	玩儿
xiǎoháir	小孩儿	bīnggùnr	冰棍儿

相识（一）
xiāngshí

04

MAKING AN ACQUAINTANCE (1)

您贵姓

MAY I KNOW YOUR NAME

1 句子 Sentences

013 我 叫 玛丽。
Wǒ jiào Mǎlì.
I am Mary.

014 认识 你，很 高兴。
Rènshi nǐ, hěn gāoxìng.
I am pleased to meet you.

015 您 贵姓？①
Nín guìxìng?
May I know your name?

016 你 叫 什么 名字？②
Nǐ jiào shénme míngzi?
What's your name?

017 他 姓 什么？③
Tā xìng shénme?
What's his family name?

018 她 不 是 老师，她 是 学生。
Tā bú shì lǎoshī, tā shì xuésheng.
She is not a teacher. She is a student.

2 会话 Conversation

1 . . .

玛丽：我 叫 玛丽，你 姓 什么？
Mǎlì： Wǒ jiào Mǎlì, nǐ xìng shénme?

王兰：我 姓 王， 我 叫 王兰。
Wáng Lán： Wǒ xìng Wáng, wǒ jiào Wáng Lán.

玛丽：认识 你，很 高兴。
Mǎlì： Rènshi nǐ, hěn gāoxìng.

王兰：认识 你，我 也 很 高兴。
Wáng Lán： Rènshi nǐ, wǒ yě hěn gāoxìng.

2 . . .

大卫：老师，您 贵姓？
Dàwèi： Lǎoshī, nín guì xìng?

张老师：我 姓 张。你 叫 什么 名字？
Zhāng lǎoshī： Wǒ xìng Zhāng. Nǐ jiào shénme míngzi?

大卫：我 叫 大卫。她 姓 什么？
Dàwèi： Wǒ jiào Dàwèi. Tā xìng shénme?

张老师：她 姓 王。
Zhāng lǎoshī： Tā xìng Wáng.

大卫：她 是 老师 吗？
Dàwèi： Tā shì lǎoshī ma?

张老师：她不是老师，她是学生。
Zhāng lǎoshī: Tā bú shì lǎoshī, tā shì xuésheng.

注释：Notes

① **"您贵姓？"** May I know your name?

这是尊敬、客气的询问姓氏的方法。回答时要说"我姓……"，不能说"我贵姓……"。

This is a respectful and polite way of asking the name of a person. The answer is not "我贵姓…", but "我姓…".

② **"你叫什么名字？"** What's your name?

也可说"你叫什么？"用于长辈对晚辈，或者青年人之间互相询问姓名。对长辈或要表示尊敬、客气时，不能用此问法。

One may also use "你叫什么？". It is used by elders when they want to know the names of young people or between young people. One shouldn't use it, therefore, when he wants to know an elder's name or when he needs to show respect and politeness to his hearer.

③ **"他姓什么？"** What's his family name?

询问第三者姓氏时用。不能用"他贵姓？"

It is used for asking another person's name. One shouldn't say "他贵姓？".

3 替换与扩展 Substitution and Extension

替换

1. 我认识你。	他	那个学生	玛丽
	他们老师		这个人

2. 她是老师吗？ ——她不是老师， 她是学生。	大夫	留学生
	你妹妹	我朋友
	你朋友	我哥哥

扩展

A：我　不认识那个人，她叫　什么？
Wǒ bú rènshi nà ge rén, tā jiào shénme?

B：她叫玛丽。
Tā jiào Mǎlì.

A：她　是　美国　人　吗？
Tā shì Měiguórén ma?

B：是，　她　是　美国　人。
Shì, tā shì Měiguórén.

4 生词 New Words

1 叫	（动）	jiào	to call; to be known as...
2 认识	（动）	rènshi	to know
3 高兴	（形）	gāoxìng	glad
4 贵姓	（名）	guìxìng	(*polite*) your name
5 姓	（动、名）	xìng	one's family name is...
6 什么	（代）	shénme	what

7 名字	（名）	míngzi	name
8 是	（动）	shì	to be
9 学生	（名）	xuésheng	student
10 那	（代）	nà	that
11 个	（量）	gè	(measure word)
12 这	（代）	zhè	this
13 人	（名）	rén	person
14 大夫	（名）	dàifu	doctor
15 留学生	（名）	liúxuéshēng	foreign student
16 朋友	（名）	péngyou	friend

专名 Proper Names

美国	Měiguó	the United States

5 语 法 Grammar

1.用"吗"的问句 Questions with "吗"

在陈述句末尾加上表示疑问语气的助词"吗"，就构成了一般疑问句。例如：

An interrogative sentence is formed by adding the modal particle "吗" at the end of a declarative sentence, e.g.

(1) 你好吗？　　(2) 你身体好吗？

(3) 她是老师吗？

2. 用疑问代词的问句 Questions with interrogative pronouns

用疑问代词（“谁 shuí ”、“什么”、“哪儿 nǎr” 等）的问句，其词序跟陈述句一样。把陈述句中需要提问的部分改成疑问代词，就构成了疑问句。例如：

The word order of questions with interrogative pronouns （“谁 shuí”，“什么”，“哪儿 nǎr” and so on) is the same as that of the declarative sentence. Replacing the corresponding part (i.e., the part being questioned)of a declarative sentence with an interrogative pronoun will result in an interrogative sentence, e.g.

(1) 他姓什么？
(2) 你叫什么名字？
(3) 谁(shuí)是大卫？
(4) 玛丽在哪儿(nǎr)？

3. 形容词谓语句 The sentence with an adjectival predicate

谓语的主要成分是形容词的句子，叫做形容词谓语句。例如：

A sentence with an adjective as the main element of its predicate is known as the sentence with an adjectival predicate, e.g.

(1) 他很忙。
(2) 他不太高兴。

6 练 习 Exercises

1 完成对话 Complete the following conversations

(1) A：大夫，____________？
B：我姓张。
A：那个大夫____________？
B：他姓李。

(2) A：她____________？
B：是，她是我妹妹。
A：她____________？
B：她叫京京。

(3) A: ________?

B: 是，我是留学生。

A: 你忙吗?

B: ________。你呢?

A: ________。

(4) A: 今天你高兴吗?

B: ________。你呢?

A: ________。

2 根据情境会话 Situational dialogues

(1) 你和一个中国朋友初次见面，互相问候，问姓名，表现出高兴的心情。

You meet a Chinese friend for the first time. You greet each other and ask each other's names with delight.

(2) 你不认识弟弟的朋友，你向弟弟问他的姓名、身体和工作的情况。

You do not know your younger brother's friend. You ask your brother about his name, health and work.

3 听述 Listen and retell

我认识王英，她是学生，认识她我很高兴。她爸爸是大夫，妈妈是老师，他们身体都很好，工作也很忙。她妹妹也是学生，她不太忙。

4 语音练习 Phonetic drills

(1) 辨音 Discrimination of sounds

飘扬	piāoyáng	——	biǎoyáng	表扬
懂了	dǒng le	——	tōng le	通了

消息	xiāoxi	——	jiāojí	焦急
鼓掌	gǔ zhǎng	——	kù cháng	裤长
少吃	shǎo chī	——	xiǎochī	小吃

（2）辨调 Discrimination of tones

北方	běifāng	——	běi fáng	北房
分量	fènliang	——	fēn liáng	分粮
买花儿	mǎi huār	——	mài huār	卖花儿
打人	dǎ rén	——	dàrén	大人
老动	lǎo dòng	——	láodòng	劳动
容易	róngyì	——	róngyī	绒衣

（3）读下列词语：第一声＋第一声 Read the following words:1st tone + 1st tone

fēijī	飞机	cānjiā	参加
fāshēng	发生	jiāotōng	交通
qiūtiān	秋天	chūntiān	春天
xīngqī	星期	yīnggāi	应该
chōu yān	抽烟	guānxīn	关心

05

我介绍一下儿

LET ME INTRODUCE

1 句子 Sentences

019	他 是 谁？ Tā shì shuí?	Who is he?
020	我 介绍 一下儿[①]。 Wǒ jièshào yíxiàr.	Let me introduce...
021	你 去 哪儿？ Nǐ qù nǎr?	Where are you going?
022	张 老师 在 家 吗？ Zhāng lǎoshī zài jiā ma?	Is Mr. Zhang at home?
023	我 是 张 老师 的 学生。 Wǒ shì Zhāng lǎoshī de xuésheng.	I am Mr. Zhang's student.
024	请 进！ Qǐng jìn!	Please come in!

2 会话 Conversation

1 . . .

玛丽：王兰，他是谁？
Mǎlì: Wáng Lán, tā shì shuí?

王兰：玛丽，我介绍一下儿，这是我哥哥。
Wáng Lán: Mǎlì, wǒ jièshào yíxiàr, zhè shì wǒ gēge.

王林：我叫王林。认识你，很高兴。
Wáng Lín: Wǒ jiào Wáng Lín. Rènshi nǐ, hěn gāoxìng.

玛丽：认识你，我也很高兴。
Mǎlì: Rènshi nǐ, wǒ yě hěn gāoxìng.

王兰：你去哪儿？
Wáng Lán: Nǐ qù nǎr?

玛丽：我去北京大学。你们去哪儿？
Mǎlì: Wǒ qù Běijīng Dàxué. Nǐmen qù nǎr?

王林：我们去商店。
Wáng Lín: Wǒmen qù shāngdiàn.

玛丽：再见！
Mǎlì: Zàijiàn!

王兰：
Wáng Lán:
王林：
Wáng Lín:
再见！
Zàijiàn!

2 . . .

和子：张　老师　在　家　吗？
Hézǐ: Zhāng lǎoshī zài jiā ma?

小英：在。您　是——②
Xiǎoyīng: Zài. Nín shì——

和子：我　是　张　老师　的　学生，我　姓　山下，
Hézǐ: Wǒ shì Zhāng lǎoshī de xuésheng, wǒ xìng Shānxià,

我　叫　和子。你　是——
wǒ jiào Hézǐ. Nǐ shì——

小英：我　叫　小英。张　老师　是　我　爸爸。请　进！
Xiǎoyīng: Wǒ jiào Xiǎoyīng. Zhāng lǎoshī shì wǒ bàba. Qǐng jìn!

和子：谢谢！
Hézǐ: Xièxie!

注释：Notes

① **"我介绍一下儿"　Let me introduce…**

给别人作介绍时的常用语。"一下儿"表示动作经历的时间短或轻松随便。这里是表示后一种意思。

This is a common expression for introducing others. "一下儿" means that an action will be of short duration or something will be done in a casual way. Here the second meaning is intended.

② **"您是——"　You are…**

意思是："您是谁？"被问者应接下去答出自己的姓名或身份。这种句子是在对方跟自己说话，而自己又不认识对方时发出的询问。注意："你是谁？"这种问法不太客气，所以对不认识的人，当面一般不问"你是谁？"而问"您是——"。

It means "Who are you?" The hearer should respond with his name or social status. Such a sentence is used only when a stranger has started to speak to you. Caution: "你是谁?" (Who are you?) is a rather impolite inquiry. So normally one avoids asking a stranger "你是谁?".

3 替换与扩展 Substitution and Extension

替换

1. 我介绍 一下儿。

你来	我看	你听	我休息

2. 你去哪儿?
   我去 北京大学。

商店	宿舍	教室
网吧	超市	

3. 张老师 在家吗?

你爸爸	你妈妈	你妹妹

扩展

1. A: 你去 商店 吗?
   Nǐ qù shāngdiàn ma?

   B: 我不去商店,我回家。
   Wǒ bú qù shāngdiàn, wǒ huí jiā.

2. A: 大卫在宿舍吗?
   Dàwèi zài sùshè ma?

   B: 不在,他在 302 教室。
   Bú zài, tā zài sān líng èr jiàoshì.

4 生 词 New Words

1 谁	(代)	shuí	who
2 介绍	(动)	jièshào	to introduce
3 一下儿		yíxiàr	time, once
4 去	(动)	qù	to go
5 哪儿	(代)	nǎr	where
6 在	(动、介)	zài	to be at (in); in, at
7 家	(名)	jiā	home
8 的	(助)	de	(structural particle)
9 请	(动)	qǐng	to invite, please
10 进	(动)	jìn	to come in, to enter
11 商店	(名)	shāngdiàn	shop
12 看	(动)	kàn	to look, to watch
13 听	(动)	tīng	to listen, to hear
14 休息	(动)	xiūxi	to have a rest
15 大学	(名)	dàxué	university
16 宿舍	(名)	sùshè	dormitory
17 教室	(名)	jiàoshì	classroom
18 网吧	(名)	wǎngbā	Internet bar
19 超市	(名)	chāoshì	supermarket
20 回	(动)	huí	to come back, to return

专名 Proper Names

1	王林	Wáng Lín	Wang Lin
2	北京大学	Běijīng Dàxué	Peking University
3	山下和子	Shānxià Hézǐ	Wako Yamanoshita
4	小英	Xiǎoyīng	Xiaoying

5 语 法 Grammar

1. 动词谓语句 The sentence with a verbal predicate

谓语的主要成分是动词的句子，叫做动词谓语句。动词如带有宾语，宾语一般在动词的后边。例如：

A sentence with a verb as the main element of its predicate is called a sentence with a verbal predicate. If the verb takes an object, the former usually precedes the latter, e.g.

(1) 他来。　　(2) 张老师在家。

(3) 我去北京大学。

2. 表示领属关系的定语 The attributive genitive

❶ 代词、名词作定语表示领属关系时，后面要加结构助词 “的”。例如：“他的书”、“张老师的学生”、“王兰的哥哥” 等。

When a personal pronoun or a noun is used as an attributive genitive, it generally takes the structural particle “的”, e.g. “他的书”, “张老师的学生”, “王兰的哥哥” and so on.

❷ 人称代词作定语，而中心语是亲属称谓，或表示集体、单位等的名词时，定语可以不用 “的”。如 “我哥哥”、“他姐姐”、“我们学校” 等。

When a personal pronoun is used as an attributive and the headword is a kin term or an institutional one, “的” may be omitted in the attributive, e.g. “我哥哥”, “他姐姐”, “我们学校” and so on.

3.“是”字句（1） The “是” sentence (1)

动词“是”和其他词或短语一起构成谓语的句子，叫做“是”字句。“是”字句的否定形式，是在“是”前加否定副词“不”。例如：

A sentence with the verb “是” and other words or phrases constituting its predicate is known as the “是” sentence. Its negative counterpart is formed by putting the negative adverb “不” before “是”, e.g.

(1) 他是大夫。　　(2) 大卫是她哥哥。

(3) 我不是学生，是老师。

6 练　习 Exercises

1 熟读下列词语并造句 Read until fluent the following phrases and make sentences

叫什么	认识谁	在哪儿
去商店	妈妈的朋友	王兰的哥哥

2 用所给的词完成对话 Complete the following conversations with the given words

(1) A：王兰在哪儿？

B：________________。（教室）

A：________________？（去教室）

B：不。我________________。（回宿舍）

(2) A：你认识王林的妹妹吗？

B：________________。你呢？

A：我认识。

B：________________？（名字）

A：她叫王兰。

(3) A: ________?(商店)

B: 去。

A: 这个商店好吗?

B: ________。(好)

3 根据句中的划线部分，把句子改成用疑问代词提出问题的问句

Change the following sentences into questions by replacing the underlined parts with interrogative pronouns

(1) 他是 我 的老师。 (2) 她姓 王。

(3) 她叫 京京。 (4) 她 认识王林。

(5) 王老师去 教室。 (6) 玛丽在 宿舍。

4 听述 Listen and retell

我介绍一下儿，我叫玛丽，我是美国留学生。那是大卫，他是我的朋友，他也是留学生，他是法国(Fǎguó France)人。刘京、王兰是我们的朋友，认识他们我们很高兴。

5 语音练习 Phonetic drills

(1) 辨音 Discrimination of sounds

知道	zhīdào	——	chídào	迟到
本子	běnzi	——	pénzi	盆子
自己	zìjǐ	——	cíqì	瓷器
鸟笼	niǎolóng	——	lǎonóng	老农
吃梨	chī lí	——	qí lǘ	骑驴
交替	jiāotì	——	jiāo dì	浇地

(2) 辨调 Discrimination of tones

奴隶	núlì	——	nǔlì	努力

吃力	chīlì	——	chī lí	吃梨
救人	jiù rén	——	jiǔ rén	九人
美金	měijīn	——	méijìn	没劲
装车	zhuāng chē	——	zhuàng chē	撞车
完了	wán le	——	wǎn le	晚了

（3）读下列词语：第一声+第二声 Read the following words:1st tone+2nd tone

bā lóu	八楼	gōngrén	工人
jīnnián	今年	tī qiú	踢球
huānyíng	欢迎	shēngcí	生词
dāngrán	当然	fēicháng	非常
gōngyuán	公园	jiātíng	家庭

复习(一)

Review (I)

一、会话 Conversation

林(Lín)：你好！

A：林大夫，您好！

林：你爸爸、妈妈身体好吗？

A：他们身体都很好。谢谢！

林：他是——

A：他是我朋友，叫马小民(Mǎ Xiǎomín)。〔对马小民说〕林大夫是我爸爸的朋友。

马(Mǎ)：林大夫，您好！认识您很高兴。

林：认识你，我也很高兴。你们去哪儿？

马：我回家。

A：我去他家。您呢？

林：我去商店。再见！

A、马：再见！

高(Gāo)：马小民在家吗？

B：在。您贵姓？

高：我姓高，我是马小民的老师。

B：高老师，请进。

高：您是——

B：我是马小民的姐姐，我叫马小清(Mǎ Xiǎoqīng)。

二、语法 Grammar

"也"和"都"的位置 The positions of "也" and "都"

❶ 副词“也”和“都”必须放在主语之后、谓语动词或形容词之前。“也”、“都”同时修饰谓语时，“也”必须在“都”前边。例如：

The adverbs “也” and “都” should be put between the subject and the predicate verb or adjective. When both of them are used to modify the same predicate, “也” should be put before “都”,e.g.

(1) 我也很好。　　(2) 他们都很好。

(3) 我们都是学生，他们也都是学生。

❷ “都”一般总括它前边出现的人或事物，因此只能说“我们都认识他”，不能说“我都认识他们”。

As a rule, “都” indicates all of the persons or things referred to by the preceding noun (phrase). Therefore, one can say “我们都认识他”, but not “我都认识他们”.

三. 练习 Exercises

❶ 辨音辨调 Discrimination of sounds and tones

(1) 送气音与不送气音 Aspirated and unaspirated sounds

b	bǎo le	饱了	(full)
p	pǎo le	跑了	(to run away)
d	dà de	大的	(big)
t	tā de	他的	(his)
g	gāi zǒu le	该走了	(It's time to leave)
k	kāi zǒu le	开走了	(to drive away)
j	dì-jiǔ	第九	(ninth)
q	dìqiú	地球	(the Earth)

（2）区别几个易混的声母和韵母 Discrimination of a few easily confused initials and finals

姐姐	j	jiějie	——	x	xièxie	谢谢
四十四	s	sìshísì	——	sh	shì yi shì	试一试
大学	üe	dàxué	——	ie	dà xié	大鞋
一只船	uan	yì zhī chuán	——	uang	yì zhāng chuáng	一张床

（3）区别不同声调的不同意义 Discrimination of the meanings of different tones

yǒu	（有 to have）	——	yòu	（又 again）
jǐ	（几 how many）	——	jì	（寄 to post）
piāo	（漂 to float）	——	piào	（票 ticket）
shí	（十 ten）	——	shì	（是 yes）
sī	（丝 silk）	——	sì	（四 four）
xǐ	（洗 to wash）	——	xī	（西 west）

❷ 三声音节连读 Liaison of 3rd-tone syllables

（1）Wǒ hǎo.
Wǒ hěn hǎo.
Wǒ yě hěn hǎo.

（2）Nǐ yǒu.
Nǐ yǒu biǎo.
Nǐ yě yǒu biǎo.

四、阅读短文 Reading Passage

他叫大卫，他是法国（Fǎguó France）人。他在北京语言大学（Běijīng Yǔyán Dàxué Beijing Language and Culture University）学习。

玛丽是美国人。她认识大卫。他们是同学（tóngxué classmate）。

刘京和（hé and）王兰都是中国人（Zhōngguórén Chinese）。他们都认识玛丽和大卫。他们常去留学生宿舍看大卫和玛丽。

玛丽和大卫的老师姓张。张老师很忙，他身体不太好。张老师的爱人（àiren wife）是大夫，她身体很好，工作很忙。

询问（一）
xúnwèn

06

MAKING AN INQUIRY (1)

你的生日是几月几号

WHEN IS YOUR BIRTHDAY

1 句子 Sentences

025 今天 几 号？
Jīntiān jǐ hào?
What is the date today?

026 今天 十月 三十一 号。
Jīntiān shíyuè sānshíyī hào.
Today is October the 31st.

027 今天 不 是 星期四，
Jīntiān bú shì xīngqīsì,
昨天 星期四。
zuótiān xīngqīsì.
Today is not Thursday, but yesterday was.

028 晚上 你 做 什么？
Wǎnshang nǐ zuò shénme?
What will you do this evening?

029 你 的 生日 是 几 月 几号？
Nǐ de shēngri shì jǐ yuè jǐ hào?
When is your birthday?

030 我们 上午 去 他 家，好 吗？
Wǒmen shàngwǔ qù tā jiā, hǎo ma?
We'll go to visit his home in the morning, won't we?

2 会话 Conversation

1 . . .

玛丽：今天 几 号？
Mǎlì: Jīntiān jǐ hào?

大卫：今天 十月 三十一 号。
Dàwèi: Jīntiān shíyuè sānshíyī hào.

玛丽：今天 星期四 吗？
Mǎlì: Jīntiān xīngqīsì ma?

大卫：今天 不 是 星期四，昨天 星期四。
Dàwèi: Jītiān bú shì xīngqīsì, zuótiān xīngqīsì.

玛丽：明天 星期六，晚上 你 做 什么？
Mǎlì: Míngtiān xīngqīliù, wǎnshang nǐ zuò shénme?

大卫：我 上网， 你 呢？
Dàwèi: Wǒ shàng wǎng, nǐ ne?

玛丽：我 看 电视。
Mǎlì: Wǒ kàn diànshì.

2...

玛丽：你的 生日 是 几 月 几 号？
Mǎlì：Nǐ de shēngri shì jǐ yuè jǐ hào?

王兰：三月 十七 号。你 呢？
Wáng Lán：Sānyuè shíqī hào. Nǐ ne?

玛丽：五月 九 号。
Mǎlì：Wǔyuè jiǔ hào.

王兰：四 号 是 张 丽英 的 生日。
Wáng Lán：Sì hào shì Zhāng Lìyīng de shēngri.

玛丽：四 号 星期几？
Mǎlì：Sì hào xīngqī jǐ?

王兰：星期天。
Wáng Lán：Xīngqītiān.

玛丽：你 去 她 家 吗？
Mǎlì：Nǐ qù tā jiā ma?

王兰：去，你 呢？
Wáng Lán：Qù, nǐ ne?

玛丽：我 也 去。
Mǎlì：Wǒ yě qù.

王兰：我们 上午 去，好 吗？
Wáng Lán：Wǒmen shàngwǔ qù, hǎo ma?

玛丽：好。
Mǎlì：Hǎo.

3 替换与扩展 Substitution and Extension

替换

1. 今天 几号？

昨天	明天
这个星期六	这个星期日

2. 晚上你做什么？
我 上网。

看书	听音乐
看电视	写信

3. 我们上午去她家，好吗？

晚上去酒吧	下午去他家
星期天听音乐	明天去买东西

扩展

1. A：明天 是 几 月 几 号，星期 几？
Míngtiān shì jǐ yuè jǐ hào, xīngqī jǐ?

B：明天 是 十一月 二十八 号，星期日。
Míngtiān shì shíyī yuè èrshíbā hào, xīngqīrì.

2. 这 个 星期五 是 我 朋友 的 生日。他 今年 二十 岁。下午 我 去 他 家 看 他。
Zhè ge xīngqīwǔ shì wǒ péngyou de shēngri. Tā jīnnián èrshí suì. Xiàwǔ wǒ qù tā jiā kàn tā.

4 生词 New Words

1 几	(数)	jǐ	what, how many
2 星期	(名)	xīngqī	week
3 昨天	(名)	zuótiān	yesterday
4 晚上	(名)	wǎnshang	evening
5 做	(动)	zuò	to do, to make
6 生日	(名)	shēngri	birthday
7 上午	(名)	shàngwǔ	morning
8 上网		shàng wǎng	surf the net
9 电视	(名)	diànshì	television
10 星期天	(名)	xīngqītiān	Sunday
(星期日)		(xīngqīrì)	
11 书	(名)	shū	book
12 音乐	(名)	yīnyuè	music
13 写	(动)	xiě	to write
14 信	(名)	xìn	letter
15 酒吧	(名)	jiǔbā	bar
16 下午	(名)	xiàwǔ	afternoon
17 买	(动)	mǎi	to buy
18 东西	(名)	dōngxi	thing, goods
19 岁	(量)	suì	age

专名 Proper Names

张丽英	Zhāng Lìyīng	Zhang Liying

5 语法 Grammar

1. 名词谓语句 The sentence with a nominal predicate

① 由名词、名词短语或数量词等直接作谓语的句子，叫名词谓语句。肯定句不用“是”（如用“是”则是动词谓语句）。这种句子主要用来表达时间、年龄、籍贯及数量等。例如：

A sentence with a noun, noun phrase or numeral-measure compound as its predicate is known as the sentence with a nominal predicate. In the affirmative sentence, “是” is not used (“是” is used in the sentence with a verbal predicate). This type of sentence is mainly used to show time, age, birthplace and quantity, e.g.

(1) 今天星期天。 (2) 我今年二十岁。

(3) 他北京人。

② 如要表示否定，在名词谓语前加“不是”，变成动词谓语句。例如：

The addition of “不是” before the nominal predicate makes it the negative counterpart of the sentence, resulting in a sentence with a verbal predicate at the same time, e.g.

(4) 今天不是星期天。

(5) 他不是北京人。

2. 年、月、日、星期的表示法 Ways to show the year, the month, the day and the days of the week

① 年的读法是直接读出每个数字。例如：

The way to read a year is simply to read every figure, e.g.

一	九	九	七	年		一	九	九	八	年
yī	jiǔ	jiǔ	qī	nián		yī	jiǔ	jiǔ	bā	nián

二 〇 〇 〇 年 二 〇 〇 五 年
èr líng líng líng nián èr líng líng wǔ nián

② 十二个月的名称是数词1～12后边加“月”。例如：

The names of the twelve months are formed by adding “月” to each of the numerals from 1 to 12, e.g.

一月 五月 九月 十二月
yīyuè wǔyuè jiǔyuè shí'èryuè

③ 日的表示法同月。数词1～31后加“日”或“号”。（“日”多用于书面语；“号”多用于口语。）

A day is indicated in the same way as a month, i.e., to add “日” or “号” to each of the numerals from 1 to 31. (“日”is mainly used in written Chinese, while “号” is preferred as an oral form.)

④ 星期的表示法是“星期”后加数词一～六。第七天为星期日或星期天。

Weekdays are indicated by putting “星期” before each of the numerals from “一” to “六”. The seventh day is written as “星期日” or “星期天”.

⑤ 年、月、日、星期的顺序如下：

The order of the year, month, day and the days of the week is as follows:

2005年6月12日（星期日）

3.“……，好吗？” The question tag “…，好吗？”

① 这是用来提出建议后，征询对方意见的一种问法。问句的前一部分是陈述句。例如：

It is a way of soliciting an opinion from the person you are talking to after making a proposal. The first part of the qnestion is a declarative sentence, e.g.

(1) 你来我宿舍，好吗？

(2) 明天去商店，好吗？

② 如同意，则用“好”、“好啊（wa）”等应答。

If the reply is positive, one should say “好”or “好啊（wa）”.

6 练习 Exercises

1 熟读下列短语并选四个造句 Read until fluent the following phrases and make sentences with four of them

做什么 买什么	看书 上网	他的生日 我的宿舍
星期日下午 明天上午 今天晚上	看电视 听音乐 写信	

2 完成对话 Complete the following conversations

(1) A：明天星期几？

B：______________。

A：______________？

B：我看电视。

(2) A：这个星期六是几月几号？

B：______________。

A：你去商店吗？

B：______________，我工作很忙。

(3) A：这个星期日晚上你做什么？

B：______________。你呢？

A：______________。

3 谈一谈 Say what you can

（1）同学们互相介绍自己的生日。

Students talk about their own birthdays.

（2）介绍一下你做下面几件事情的时间。

Talk about the periods of time in which you do the following things.

看书	看电视	听音乐
写信	上网	

4 听述 Listen and retell

今天星期天，我不学习（xuéxí, to study）。上午我去商店，下午我去看朋友。晚上我写信。

5 语音练习 Phonetic drills

（1）辨音 Discrimination of sounds

壮丽	zhuànglì	——	chuànglì	创立
枣园	zǎoyuán	——	cǎoyuán	草原
人民	rénmín	——	shēngmíng	声明
跑步	pǎo bù	——	bǎohù	保护
牛奶	niúnǎi	——	yóulǎn	游览
起早	qǐ zǎo	——	xǐ zǎo	洗澡

（2）辨调 Discrimination of tones

徒弟	túdì	——	tǔdì	土地
血液	xuèyè	——	xuéyè	学业
猜一猜	cāi yi cāi	——	cǎi yi cǎi	踩一踩
组织	zǔzhī	——	zǔzhǐ	阻止
简直	jiǎnzhí	——	jiān zhí	兼职
讲情	jiǎng qíng	——	jiǎng qīng	讲清

(3)读下列词语：第一声+第三声 Read the following words: 1st tone+3rd tone

qiānbǐ	铅笔	jīchǎng	机场
xīnkǔ	辛苦	jīnglǐ	经理
shēntǐ	身体	cāochǎng	操场
hēibǎn	黑板	kāishǐ	开始
fāngfǎ	方法	gēwǔ	歌舞

询问（二）
xúnwèn

MAKING AN INQUIRY (2)

07

你家有几口人

HOW MANY PEOPLE ARE THERE IN YOUR FAMILY

1 句子 Sentences

031 你 家 有 几 口 人？①
Nǐ jiā yǒu jǐ kǒu rén?
How many people are there in your family?

032 你 妈妈 做 什么 工作？
Nǐ māma zuò shénme gōngzuò?
What does your mother do?

033 她 在 大学 工作。
Tā zài dàxué gōngzuò.
She works in a university.

034 我 家 有 爸爸、妈妈 和 一 个 弟弟。
Wǒ jiā yǒu bàba、māma hé yí ge dìdi.
There are my father, mother and younger brother in my family.

035 哥哥 结婚 了。
Gēge jiéhūn le.
My elder brother is married.

036 他们 没有 孩子。
Tāmen méiyǒu háizi.
They haven't any children.

2 会话 Conversation

1...

大卫：刘 京，你 家 有 几 口 人？
Dàwèi: Liú Jīng, nǐ jiā yǒu jǐ kǒu rén?

刘京：四 口 人。你 家 呢？
Liú Jīng: Sì kǒu rén. Nǐ jiā ne?

大卫：两 口 人，② 妈妈 和 我。
Dàwèi: Liǎng kǒu rén, māma hé wǒ.

刘京：你 妈妈 做 什么 工作？
Liú Jīng: Nǐ māma zuò shénme gōngzuò?

大卫：她 是 老师。她 在 大学 工作。
Dàwèi: Tā shì lǎoshī. Tā zài dàxué gōngzuò.

2...

大卫：和子，你 家 有 什么 人？
Dàwèi: Hézǐ, nǐ jiā yǒu shénme rén?

和子：爸爸、妈妈 和 一 个 弟弟。
Hézǐ: Bàba、māma hé yí ge dìdi.

大卫：你 弟弟 是 学生 吗？
Dàwèi: Nǐ dìdi shì xuésheng ma?

和子：是，他 学习 英语。
Hézǐ: Shì, tā xuéxí Yīngyǔ.

大卫：你 妈妈 工作 吗？
Dàwèi：Nǐ māma gōngzuò ma?

和子：她 不 工作。
Hézǐ：Tā bù gōngzuò.

3...

王兰：你 家 有 谁？[3]
Wáng Lán：Nǐ jiā yǒu shuí?

玛丽：爸爸、妈妈、姐姐。
Mǎlì：Bàba、māma、jiějie.

王兰：你 姐姐 工作 吗？
Wáng Lán：Nǐ jiějie gōngzuò ma?

玛丽：工作。她 是 职员，在 银行 工作。
Mǎlì：Gōngzuò. Tā shì zhíyuán, zài yínháng gōngzuò.

你 哥哥 做 什么 工作？
Nǐ gēge zuò shénme gōngzuò?

王兰：他 是 大夫。
Wáng Lán：Tā shì dàifu.

玛丽：他 结婚 了 吗？
Mǎlì：Tā jié hūn le ma?

王兰：结婚 了。他 爱人 是 护士。
Wáng Lán：Jié hūn le. Tā àiren shì hùshi.

玛丽：他们 有 孩子 吗？
Mǎlì：Tāmen yǒu háizi ma?

王兰：没有。
Wáng Lán：Méiyǒu.

注释：Notes

① “你家有几口人？” How many people are there in your family?

“几口人”只用于询问家庭的人口。其他场合询问人数时，量词要用“个”。

“几口人” is used to ask about the number of people in the family only.When one wants to ask about the number of people in an institution or a community, he should use the measure word “个”

② “两口人”

“两”和 “二” 都表示 “2”。在量词前(或不用量词的名词前)一般都用“两”，不用 “二”。如 “两个朋友”、“两个哥哥”等。但10以上数字中的“2”如12、32等数字中的“2”，不管后面有无量词，都用“二”，不用“两”。例如：“十二点”、“二十二个学生”。

“两” and “二” both mean “2”. Generally, “两” is used instead of “二” before a measure word (or a noun which does not take a measure word), e.g. “两个朋友”, “两个哥哥” and so on. But for a figure bigger than 10, e.g. 12 or 32, “二” is used instead of “两” no matter whether it is followed by a measure word or not, e.g. “十二点”, “二十二个学生”.

③ “你家有谁？” Who are there in your family?

此句与 “你家有什么人？”意思相同。“谁”既可以指单数(一个人)，也可以指复数(几个人)。

The above sentence has the same meaning as “你家有什么人？”. “谁” can either be singular (one person) or plural (several persons).

3 替换与扩展 Substitution and Extension

替换

1. 他学习 英语。	汉语	日语	韩语

2. 她在 银行 工作。	教室	上课
	宿舍	休息
	家	看电视

3. 他们 有 孩子 吗?	你	姐姐	他	妹妹
	你	英语书	他	汉语书
	你	电脑	他	手机

扩展

1. 我 在 北京 语言 大学 学习。
   Wǒ zài Běijīng Yǔyán Dàxué xuéxí.

2. 今天 有 汉语 课，明天 没有 课。
   Jīntiān yǒu Hànyǔ kè, míngtiān méiyǒu kè.

3. 下 课 了，我 回 宿舍 休息。
   Xià kè le, wǒ huí sùshè xiūxi.

4 生词 New Words

1 有	（动）	yǒu	there to be, to have
2 口	（量）	kǒu	(a measure word for people in a family)
3 和	（连）	hé	and, as well as

4 结婚		jié hūn	to marry
5 了	（助）	le	(modal particle)
6 没	（副）	méi	no, not
7 孩子	（名）	háizi	child, children
8 两	（数）	liǎng	two
9 学习	（动）	xuéxí	to study
10 英语	（名）	Yīngyǔ	English (language)
11 职员	（名）	zhíyuán	employee, clerk
12 银行	（名）	yínháng	bank
13 爱人	（名）	àiren	wife, husband
14 护士	（名）	hùshi	nurse
15 汉语	（名）	Hànyǔ	Chinese (language)
16 日语	（名）	Rìyǔ	Japanese (language)
17 韩语	（名）	Hányǔ	Korean (language)
18 上	（动）	shàng	to go to, to have
19 课	（名）	kè	class
20 电脑	（名）	diànnǎo	computer
21 手机	（名）	shǒujī	cellphone, mobile phone
22 下	（动）	xià	to finish, to be over

专名 Proper Names

北京语言大学 Běijīng Yǔyán Dàxué Beijing Language and Culture University

5 语 法 Grammar

1."有"字句 The "有" sentence

由"有"及其宾语作谓语的句子，叫"有"字句。这种句子表示领有。它的否定式是在"有"前加副词"没"，不能加"不"。例如：

A sentence with the predicate made up of "有" and its object is known as the "有" sentence. Such a sentence indicates possession. Its negative form is constructed by putting the adverb "没", but not "不", before "有", e.g.

(1) 我有汉语书。
(2) 他没有哥哥。
(3) 他没有日语书。

2.介词结构 Prepositional constructions

介词跟它的宾语组成介词结构，常在动词前作状语。如"在银行工作"、"在教室上课"中的"在银行"、"在教室"都是由介词"在"和它的宾语组成的介词结构。

The prepositional construction consists of a preposition and its object. It often occurs before a verb, serving as an adverbial adjunct, e.g, "在银行" and "在教室" in "在银行工作" and "在教室上课", respectively, are both prepositional constructions composed of the preposition "在" and its object.

6 练 习 Exercises

1 选用括号中的动词填空 Fill in the blanks with the appropriate verbs in the brackets

（听　写　学习　看　有　叫　是）

(1) _____什么名字？　　(2) _____几口人？

(3) _____学生　　(4) _____汉语

(5) ____音乐。 (6) ____ 信。

(7) ____ 电视。

2 用“几”提问，完成下列对话 Complete the dialogues by raising questions with “几”

(1) A：____________________？

B：明天星期四。

A：____________________？

B：明天是六月一号。

(2) A：____________________？

B：王老师家有四口人。

A：他有孩子吗？

B：____________________。

A：____________________？

B：他有一个孩子。

3 谈一谈 Say what you can

(1) 同学们互相介绍自己的家庭。

Students talk about each other's families.

(2) 介绍一下自己在哪儿学习、学习什么。

Say something about where and what you study.

4 听述 Listen and retell

小明五岁，他有一个哥哥，哥哥是学生。他爸爸、妈妈都工作。小明说(shuō to say)，他家有五口人。那一个是谁？是他的猫(māo cat)。

5 语音练习 Phonetic drills

(1) 音节连读：第一声 + 第四声　Syllabic liaison: 1st tone + 4th tone

dōu qù	都去	gāoxìng	高兴
shāngdiàn	商店	shēngqì	生气
yīnyuè	音乐	shēngdiào	声调
chī fàn	吃饭	bāngzhù	帮助
gōngzuò	工作	xūyào	需要

(2) 第三声的变调　Changes of 3rd tone

hěn 很	xīn 新		nǐ 你	chī 吃
	bái 白			xué 学
	zǎo 早			zǒu 走
	jiù 旧			zuò 坐

询问（三）
xúnwèn

MAKING AN INQUIRY (3)

08

现在几点

WHAT TIME IS IT NOW

1 句子 Sentences

037	现在 几 点？ Xiànzài jǐ diǎn?	What time is it now?
038	现在 七 点 二十五 分。 Xiànzài qī diǎn èrshíwǔ fēn.	It's twenty-five past seven now.
039	你 几点 上 课？ Nǐ jǐ diǎn shàng kè?	At what time does your class begin?
040	差 一 刻 八 点 去。 Chà yī kè bā diǎn qù.	I' ll go at a quarter to eight.
041	我 去 吃 饭。 Wǒ qù chī fàn.	I'm going to have my lunch.
042	我们 什么 时候 去？ Wǒmen shénme shíhou qù?	When will we go?
043	太 早 了。 Tài zǎo le.	It is still early./It is too early.
044	我 也 六 点 半 起 床。 Wǒ yě liù diǎn bàn qǐ chuáng.	I also get up at half past six.

2 会话 Conversation

1

玛丽：现在 几 点？
Mǎlì: Xiànzài jǐ diǎn?

王兰：现在 七 点 二十五 分。
Wáng Lán: Xiànzài qī diǎn èrshíwǔ fēn.

玛丽：你 几 点 上 课？
Mǎlì: Nǐ jǐ diǎn shàng kè?

王兰：八 点。
Wáng Lán: Bā diǎn.

玛丽：你 什么 时候 去 教室？
Mǎlì: Nǐ shénme shíhou qù jiàoshì?

王兰：差 一 刻 八 点 去。
Wáng Lán: Chà yī kè bā diǎn qù.

玛丽：现在 你 去 教室 吗？
Mǎlì: Xiànzài nǐ qù jiàoshì ma?

王兰：不 去，我 去 吃 饭。
Wáng Lán: Bú qù, wǒ qù chī fàn.

2

刘京：明天 去 长城， 好 吗？
Liú Jīng: Míngtiān qù Chángchéng, hǎo ma?

大卫：好，什么时候去？
Dàwèi: Hǎo, shénme shíhou qù?

刘京：早上七点。
Liú Jīng: Zǎoshang qī diǎn.

大卫：太早了，七点半吧。你几点起床？
Dàwèi: Tài zǎo le, qī diǎn bàn ba. Nǐ jǐ diǎn qǐ chuáng?

刘京：六点半，你呢？
Liú Jīng: Liù diǎn bàn, nǐ ne?

大卫：我也六点半起床。
Dàwèi: Wǒ yě liù diǎn bàn qǐ chuáng.

3 替换与扩展 Substitution and Extension

替换

1. 现在几点？
——现在 7:25。

10:15	3:45
11:35	12:10
2:30	8:15
2:55	5:20

2. 你什么时候去教室？
——差一刻八点去。

来教室	2:00 来
来我的宿舍	4:00 来
去食堂	11:55 去
去上海	7 月 28 号去
去日本	1 月 25 号去

3. 我去吃饭。	买花	听音乐	打保龄球
	看电影	买东西	睡觉

扩展

1. 现在 两 点 零 五分，我 去 大卫 宿舍 看 他。
Xiànzài liǎng diǎn líng wǔ fēn, wǒ qù Dàwèi sùshè kàn tā.

2. 早上 七点 一 刻 吃 早饭。
Zǎoshang qī diǎn yī kè chī zǎofàn.

4 生词 New Words

1 现在	（名）	xiànzài	now, nowadays
2 点	（量）	diǎn	o'clock, hour
3 分	（量）	fēn	minute
4 差	（动）	chà	to lack, to be short of
5 刻	（量）	kè	quarter
6 吃	（动）	chī	to eat
7 饭	（名）	fàn	meal, (cooked) rice
8 时候	（名）	shíhou	time, hour
9 半	（数）	bàn	half
10 起	（动）	qǐ	to get up
11 床	（名）	chuáng	bed

12 早上	（名）	zǎoshang	morning
13 吧	（助）	ba	(modal particle)
14 食堂	（名）	shítáng	dining-room
15 花(儿)	（名）	huā(r)	flower
16 打	（动）	dǎ	to play
17 保龄球	（名）	bǎolíngqiú	bowling (ball)
18 电影	（名）	diànyǐng	film
19 睡觉		shuì jiào	to go to sleep
20 早饭	（名）	zǎofàn	breakfast

专名 Proper Names

长城	Chángchéng	the Great Wall

5 语 法 Grammar

1. 钟点的读法 How to tell time

2:00	两 点 liǎng diǎn	
6:05	六 点 〇 五 分 liù diǎn líng wǔ fēn	
8:15	八 点 十五 分 bā diǎn shíwǔ fēn	八 点 一 刻 bā diǎn yī kè

10:30	十点三十分 shí diǎn sānshí fēn	十点半 shí diǎn bàn
11:45	十一点四十五分 shíyī diǎn sìshíwǔ fēn	十一点三刻 shíyī diǎn sān kè
		差一刻十二点 chà yī kè shí'èr diǎn
1:50	一点五十分 yī diǎn wǔshí fēn	差十分两点 chà shífēn liǎng diǎn

2.时间词 Grammatical functions of time words

❶ 表示时间的名词或数量词可作主语、谓语、定语。例如：

Nouns or numeral-measure compounds indicating time may be used as subjects, predicates and attributives, e.g.

(1) 现在八点。(主语)　　(2) 今天五号。(谓语)

(3) 他看八点二十的电影。(定语)　　(4) 晚上的电视很好。(定语)

❷ 时间词作状语时，可放在主语之后谓语之前，也可放在主语之前。例如：

When used as an adverbial adjunct, a time word may be put between the subject and the predicate, or before the subject, e.g.

(5) 我晚上看电视。　　(6) 晚上我看电视。

❸ 作状语的时间词有两个以上时，表示时间长的词在前。例如：

When more than two time words are used as adverbial adjuncts, the word showing a longer period of time comes first, e.g.

(7) 今天晚上八点二十分我看电影。

❹ 时间词与处所词同时作状语时，一般来说时间词在前，处所词在时间词之后。例如：

When a time word and a place word are both used as adverbial adjuncts in the same sentence, normally the former is put before the latter, e.g.

(8) 她现在在银行工作。

6 练 习 Exercises

1 用汉语说出下列时间并选择五个造句 Rende the following points of time into Chinese and make sentences with five of them

10:00	6:30	4:35	8:05	7:15
9:25	11:45	2:55	3:20	12:10

2 完成对话 Complete the following coversations

(1) A：你们几点上课？

B：______________________。

A：你几点去教室？

B：______________________。现在几点？

A：______________________。

(2) A：______________________？

B：十二点半吃午饭。

A：______________________？

B：我十二点十分去食堂。

3 按照实际情况回答问题 Answer the following questions according to actual situations

(1) 你几点起床？你吃早饭吗？几点吃早饭？

(2) 你几点上课？几点下课？几点吃饭？

(3) 你几点吃晚饭（wǎnfàn dinner）？几点睡觉？

(4) 星期六你几点起床？几点睡觉？

4 说说你的一天 Talk about a day in your life

5 听述 Listen and retell

今天星期六，我们不上课。小王说(shuō to say)，晚上有一个好电影，他和我一起(yìqǐ together)去看，我很高兴。

下午六点我去食堂吃饭，六点半去小王的宿舍，七点我们去看电影。

6 语音练习 Phonetic drills

(1) 读下列词语：第一声+轻声 Read the following words: 1st tone + neutral tone

yīfu	衣服	xiūxi	休息
dōngxi	东西	zhīshi	知识
chuānghu	窗户	tāmen	他们
dāozi	刀子	bōli	玻璃
māma	妈妈	zhuōzi	桌子

(2) 常用音节练习 Drill on the frequently used syllables

de

wǒ de	我的
xīn de	新的
cháng de	长的
jiù de	旧的

shi

lǎoshī	老师
shí ge	十个
jiàoshì	教室
zhīshi	知识

09 你住在哪儿

WHERE DO YOU LIVE

1 句子 Sentences

045	你 住 在 哪儿？ Nǐ zhù zài nǎr?	Where do you live?
046	住 在 留学生 宿舍。 Zhù zài liúxuéshēng sùshè.	I live in the dormitory for foreign students.
047	多少 号 房间？① Dūoshao hào fángjiān?	What's the number of your room?
048	你 家 在 哪儿？ Nǐ jiā zài nǎr?	Where is your home?
049	欢迎 你 去 玩儿。 Huānyíng nǐ qù wánr.	You are welcome to my home.
050	她 常 去。 Tā cháng qù.	She often goes there.
051	我们 一起 去 吧。 wǒmen yìqǐ qù ba.	Let's go there together.
052	那 太 好 了。② Nà tài hǎo le.	That's great.

2 会话 Conversation

1...

刘京：你住在哪儿？
Liú Jīng: Nǐ zhù zài nǎr?

大卫：住在留学生宿舍。
Dàwèi: Zhù zài liúxuéshēng sùshè.

刘京：几号楼？①
Liú Jīng: Jǐ hào lóu?

大卫：九号楼。
Dàwèi: Jiǔ hào lóu.

刘京：多少号房间？
Liú Jīng: Duōshao hào fángjiān?

大卫：308号房间。你家在哪儿？
Dàwèi: Sān líng bā hào fángjiān. Nǐ jiā zài nǎr?

刘京：我家在学院路25号，欢迎你去玩儿。
Liú Jīng: Wǒ jiā zài Xuéyuàn Lù èrshíwǔ hào, huānyíng nǐ qù wánr.

大卫：谢谢！
Dàwèi: Xièxie!

2...

大卫：张丽英家在哪儿？
Dàwèi: Zhāng Lìyīng jiā zài nǎr?

玛丽：我 不 知道。 王 兰 知道。她 常 去。
Mǎlì： Wǒ bù zhīdào. Wáng Lán zhīdào. Tā cháng qù.

大卫：好， 我 去 问 她。
Dàwèi： Hǎo, wǒ qù wèn tā.

3 . . .

大卫：王 兰， 张 丽英 家 在 哪儿？
Dàwèi： Wáng Lán, Zhāng Lìyīng jiā zài nǎr?

王兰：清华 大学 旁边。 你 去 她 家 吗？
Wáng Lán： Qīnghuá Dàxué pángbiān. Nǐ qù tā jiā ma?

大卫：对， 明天 我 去 她 家。
Dàwèi： Duì, míngtiān wǒ qù tā jiā.

王兰：你 不 认识 路，我们 一起 去 吧！
Wáng Lán： Nǐ bú rènshi lù, wǒmen yìqǐ qù ba!

大卫：那 太 好 了！
Dàwèi： Nà tài hǎo le!

注释：Notes

① **"几号楼？"和"多少号房间？"**

What's the building number? What's the room number?

这两句中的"几"和"多少"都是用来询问数目的。估计数目在10以下，一般用"几"，10以上用"多少"。

"几" and "多少" in the two sentences are interrogatives of number. When the estimated number is smaller than 10, "几" is usually used; when the estimated number exceeds 10, "多少"is used.

② "那太好了。" That's great.

这里的"那"，意思是"那样的话"。

"太好了"是表示满意、赞叹的用语。"太"在这里表示程度极高。

"那" here means "if so".

"太好了" is an expression showing satisfaction, appreciation and so on. Here "太" greatly intensifies the meaning of the word that follows it.

3 替换与扩展 Substitution and Extension

替换

1. 你住在哪儿？
——我住在留学生宿舍。

9楼308号房间	5楼204号房间
上海	北京饭店

2. 欢迎你去玩儿。

来我家玩儿	来北京工作
来语言大学学习	

3. 她常去张丽英家。

那个公园	那个邮局
留学生宿舍	我们学校

扩展

A：你 去 哪儿？
Nǐ qù nǎr?

B: 我 去 邮局 买 邮票。你 知道 王 老师 住
Wǒ qù yóujú mǎi yóupiào. Nǐ zhīdào Wáng lǎoshī zhù

在 哪儿 吗?
zài nǎr ma?

A: 他 住 在 宾馆 2层 234 号 房间。
Tā zhù zài bīnguǎn èr céng èr sān sì hào fángjiān.

4 生 词 New Words

1 住	(动)	zhù	to live
2 多少	(代)	duōshao	how many, how much
3 房间	(名)	fángjiān	room
4 欢迎	(动)	huānyíng	to welcome
5 玩儿	(动)	wánr	to enjoy oneself, to play
6 常(常)	(副)	cháng(cháng)	often, usually
7 一起	(副、名)	yìqǐ	together
8 楼	(名)	lóu	building
9 路	(名)	lù	road
10 知道	(动)	zhīdào	to know
11 问	(动)	wèn	to ask
12 旁边	(名)	pángbiān	beside
13 对	(形、介、动)	duì	right; opposite; to face

14 公园	（名）	gōngyuán	park
15 邮局	（名）	yóujú	post office
16 学校	（名）	xuéxiào	school
17 邮票	（名）	yóupiào	stamp
18 宾馆	（名）	bīnguǎn	hotel
19 层	（量）	céng	floor

专名 Proper Names

1 学院路	Xuéyuàn Lù	Xueyuan Road
2 清华大学	Qīnghuá Dàxué	Tsinghua University
3 上海	Shànghǎi	Shanghai
4 北京饭店	Běijīng Fàndiàn	Beijing Hotel
5 北京	Běijīng	Beijing

5 语 法 Grammar

1. 连动句 The sentence with verbal constructions in series

在动词谓语句中，几个动词或动词短语连用，并有同一主语，这样的句子叫连动句。例如：

If a sentence with a verbal predicate is composed of several verbs or verbal phrases which share the same subject, it is known as the sentence with verbal constructions in series, e.g.

(1) 我去问他。　　(2) 王林常去看电影。

(3) 星期天大卫来我家玩儿。　　(4) 我去他宿舍看他。

2. 状语 Adverbial adjuncts

动词、形容词前面的修饰成分叫状语。副词、形容词、时间词、介词结构等都可作状语。例如：

The modifying elements before verbs and adjectives are known as adverbial adjuncts. Adverbs, adjectives, time words and prepositional constructions can all be used as adverbial adjuncts, e.g.

(1) 她常去我家玩儿。　　(2) 你们快来。

(3) 我们八点去上课。　　(4) 他姐姐在银行工作。

6 练　习 Exercises

1 熟读下列词语并选择造句 Read until fluent the following words and make sentences with some of them

一起	常	在	问	买
玩儿 看 吃 来	看 听 问	家 大学 教室 银行	老师 大夫 谁	书 饭 东西

2 按照实际情况回答问题 Answer the following questions according to actual situations

(1) 你家在哪儿？你的宿舍在哪儿？

(2) 你住在几号楼？多少号房间？

(3) 星期日你常去哪儿？晚上你常做什么？你常写信吗？

3 用下列词语造句 Make sentences with each pair of words given below

例：家　　在　→　王老师的家在北京大学。

(1) 商店　　在

(2) 谁　　认识

(3) 一起　　听

4 谈一谈 Say what you can

介绍一下儿你的一个朋友。

提示：他(她)的家在哪儿，住在哪儿，在哪儿学习或工作等等。

Say something about a friend of yours.

Suggested points: Where does he/she live? Where does he/she study or work?

5 语音练习 Phonetic drills

(1) 读下列词语：第二声+第一声 Read the following words: 2nd tone + 1st tone

míngtiān	明天	zuótiān	昨天
jié hūn	结婚	fángjiān	房间
máoyī	毛衣	pángbiān	旁边
qiántiān	前天	shíjiān	时间
hóng huā	红花	huí jiā	回家

(2) 常用音节练习 Drill on the frequently used syllables

	niǎowō	鸟窝		rúguǒ	如果
wo	wǒmen	我们	ru	bǔrǔ	哺乳
	wò shǒu	握手		rù xué	入学

询问（五）

xúnwèn

10

MAKING AN INQUIRY (5)

邮局在哪儿

WHERE IS THE POST OFFICE

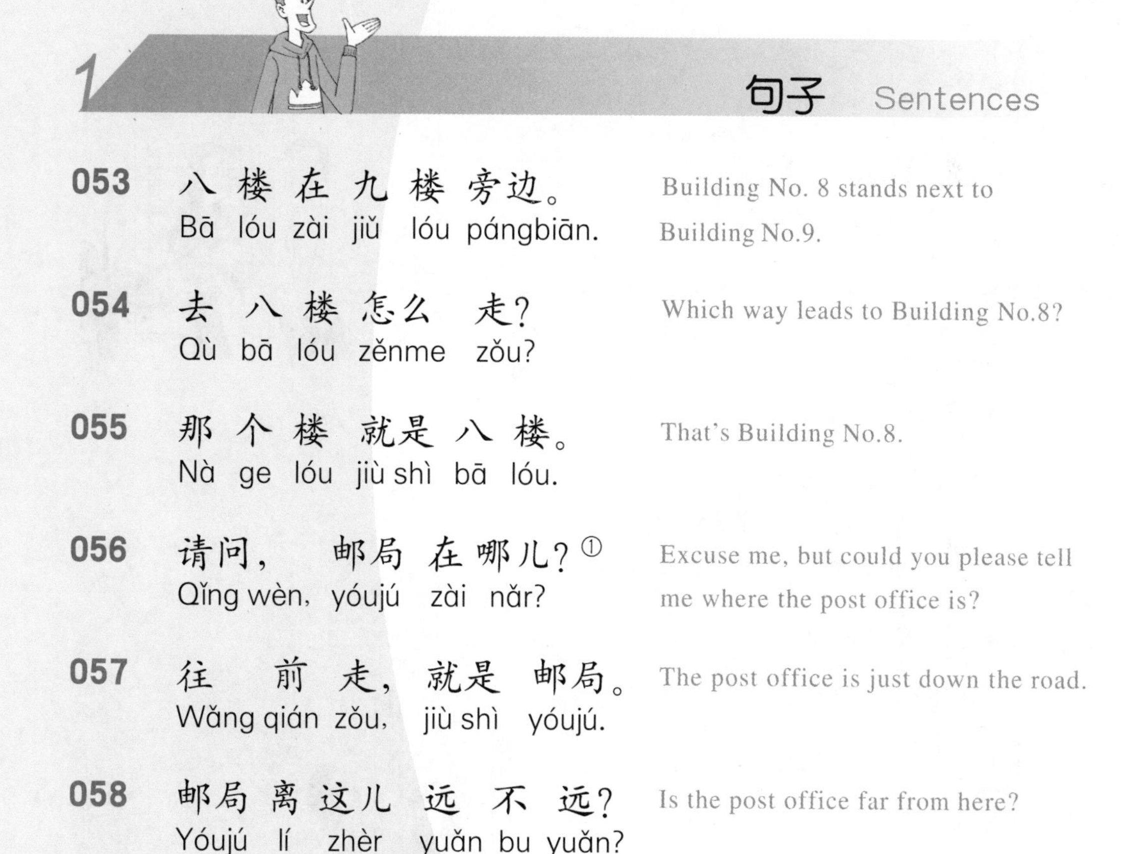

1 句子 Sentences

053 八楼在九楼旁边。
Bā lóu zài jiǔ lóu pángbiān.
Building No. 8 stands next to Building No.9.

054 去八楼怎么走？
Qù bā lóu zěnme zǒu?
Which way leads to Building No.8?

055 那个楼就是八楼。
Nà ge lóu jiù shì bā lóu.
That's Building No.8.

056 请问，邮局在哪儿？①
Qǐng wèn, yóujú zài nǎr?
Excuse me, but could you please tell me where the post office is?

057 往前走，就是邮局。
Wǎng qián zǒu, jiù shì yóujú.
The post office is just down the road.

058 邮局离这儿远不远？
Yóujú lí zhèr yuǎn bu yuǎn?
Is the post office far from here?

059 百货大楼在什么地方？
Bǎihuò dàlóu zài shénme dìfang?
Where is the Department Store?

060 在哪儿坐汽车？
Zài nǎr zuò qìchē?
Where is the bus stop?

2 会话 Conversation

1 ...

A：请问，八楼在哪儿？
Qǐng wèn, bā lóu zài nǎr?

刘京 Liú Jīng：在九楼旁边。
Zài jiǔ lóu pángbiān.

A：怎么走？
Zěnme zǒu?

刘京 Liú Jīng：你看，那个楼就是②。
Nǐ kàn, nà ge lóu jiù shì.

2 ...

和子 Hézǐ：请问，邮局在哪儿？
Qǐng wèn, yóujú zài nǎr?

B：在前边。
Zài qiánbiān.

和子 Hézǐ：怎么走？
Zěnme zǒu?

B：往前走。
Wǎng qián zǒu.

和子 Hézǐ：离这儿远不远？
Lí zhèr yuǎn bu yuǎn?

B： 不 太 远。就 在 银行 旁边②。
Bú tài yuǎn. Jiù zài yínháng pángbiān.

玛丽： 请 问，百货 大楼 在 什么 地方？
Mǎlì： Qǐng wèn, Bǎihuò Dàlóu zài shénme dìfang?

B： 在 王府井。
Zài Wángfǔjǐng.

玛丽： 离 天安门 远 吗？
Mǎlì： Lí Tiān'ānmén yuǎn ma?

B： 不 远。 您 怎么 去？
Bù yuǎn. Nín zěnme qù?

玛丽： 坐 汽车。 请问 在 哪儿 坐 汽车？
Mǎlì： Zuò qìchē. Qǐng wèn zài nǎr zuò qìchē?

B： 就 在 那儿。
Jiù zài nàr.

玛丽： 谢谢！
Mǎlì： Xièxie!

注释：Notes

① **"请问，邮局在哪儿？"**

Excuse me, but could you please tell me where the post office is?

"请问"是向别人提问时的客套语。一定要用在提出问题之前。

"请问"（Could you please tell me...）is a polite expression for making an inquiry of somebody about something. It is used before the actual question.

② "那个楼就是""就在银行旁边""就在那儿"

It's the building right over there. Right beside the bank. Right over there.

这三句中的副词"就"都是用来加强肯定语气的。

The adverb "就" in three sentences is used to heighten the positive tone.

3 替换与扩展 Substitution and Extension

替换

1. 八楼在哪儿？
——在九楼旁边。

留学生食堂西边
那个楼南边
他的宿舍楼北边
操场东边

2. 邮局离这儿远不远？

他家	北京语言大学
北京饭店	这儿
食堂	宿舍

3. 在哪儿坐汽车？

学习汉语	工作
吃饭	休息
上网	发电子邮件
买电脑	

扩展

他 爸爸 在 商店 工作。那 个 商店 离 他
Tā bàba zài shāngdiàn gōngzuò. Nà ge shāngdiàn lí tā

家 很 近。他 爸爸 早上 七 点 半 去 工作，下午
jiā hěn jìn. Tā bàba zǎoshang qī diǎn bàn qù gōngzuò, xiàwǔ

五 点 半 回 家。
wǔ diǎn bàn huí jiā.

4 生词 New Words

1 怎么	（代）	zěnme	how
2 走	（动）	zǒu	to go, to walk
3 就	（副）	jiù	right
4 请问		qǐng wèn	please (tell me), could you tell me
5 往	（介、动）	wǎng	to go; to, towards
6 前	（名）	qián	front, before
7 离	（介）	lí	away from (a place)
8 这儿	（代）	zhèr	here
9 远	（形）	yuǎn	far
10 地方	（名）	dìfang	place, region
11 坐	（动）	zuò	to sit, to take a seat
12 汽车	（名）	qìchē	bus, car

13 前边	（名）	qiánbiān	in front of
14 那儿	（代）	nàr	there, over there
15 西边	（名）	xībiān	west side
16 南边	（名）	nánbiān	south side
17 北边	（名）	běibiān	north side
18 东边	（名）	dōngbiān	east side
19 操场	（名）	cāochǎng	sports ground
20 发	（动）	fā	to send
21 电子邮件		diànzǐ yóujiàn	e-mail
22 近	（形）	jìn	near

专名 Proper Names

1 百货大楼	Bǎihuò dàlóu	the Department Store
2 王府井	Wángfǔjǐng	Wangfujing Street
3 天安门	Tiān'ānmén	Tian'anmen

5 语 法 Grammar

1. 方位词 Words of location

“旁边”、“前边” 等都是方位词。方位词是名词的一种，可以作主语、宾语、定语等句子成分。方位词作定语时，一般要用 “的” 与中心语连接， 例如 “东边的房间”、“前边的商店” 等。

“旁边” and “前边” are words of location, which make up a subclass of nouns. They may serve as such sentence elements as subjects, objects and attributives.When used as attributives, they are normally linked with the headword with "的", e.g. "东边的房间" (the room in the east side), "前边的商店" (the shop in front).

2. 正反疑问句 The affirmative-negative question

将谓语中的动词或形容词的肯定式和否定式并列，就构成了正反疑问句。例如：

An affirmative-negative question is formed by juxtaposing the verb or adjective of the predicate and its negative form, e.g.

(1) 你今天来不来？　　(2) 这个电影好不好？

(3) 这是不是你们的教室？　　(4) 王府井离这儿远不远？

6 练　习 Exercises

1 选词填空 Choose from the words given in the brackets to fill in the blanks

（去　在　离　回　买　往）

(1) 八楼______九楼不太远。

(2) 食堂______宿舍旁边。

(3) 邮局很近，______前走就是。

(4) 今天晚上我不学习，______家看电视。

(5) 我们______宿舍休息一下吧。

(6) 这本(běn *a measure word*)书很好，你______不______？

2 判断正误 Judge whether the following statements are correct or not

(1) 我哥哥在学校工作。(　　)
我哥哥工作在学校。(　　)

(2) 操场宿舍很近。(　　)
操场离宿舍很近。(　　)

(3) 我在食堂吃早饭。(　　)
我吃早饭在食堂。(　　)

(4) 他去银行早上八点半。(　　)
他早上八点半去银行。(　　)

3 按照实际情况回答问题 Answer the questions according to actual situations

(1) 谁在你旁边？谁在你前边？

(2) 谁住在你旁边的房间？

(3) 你知道邮局、银行在哪儿吗？怎么走？

4 听述 Listen and retell

邮局离银行不远，我常去那儿买邮票、寄（jì to post）信。书店在银行旁边。那个书店很大，书很多，我常去那儿买书。

5 语音练习 Phonetic drills

(1) 读下列词语：第二声+第二声 Read the following words: 2nd tone+2nd tone

liú xué	留学	yínháng	银行
zhíyuán	职员	xuéxí	学习
shítáng	食堂	huídá	回答
tóngxué	同学	rénmín	人民
wénmíng	文明	értóng	儿童

(2) 常用音节练习 Drill on the frequently used syllables

	yīshēng	医生			
	yí ge	一个		bú qù	不去
yi	yǐzi	椅子	bu	bǔyǔ	补语
	yìjiàn	意见		bùxié	布鞋
	piányi	便宜		hǎo bu hǎo	好不好

(3) 朗读会话 Read aloud the conversation

A: Qǐng wèn, Běijīng Dàxué zài nǎr?

B: Zài Qīnghuá Dàxué xībiān.

A: Qīnghuá Dàxué dōngbiān shì Yǔyán Dàxué ma?

B: Duì. Zhèr yǒu hěn duō dàxué. Yǔyán Dàxué nánbiān hái yǒu hǎo jǐ ge dàxué.

A: Cóng zhèr wǎng běi zǒu dàxué bù duō le, shì bu shì?

B: Shì de.

复习(二)

Review (II)

一、会话 Conversation

王：小卫(Xiǎo Wèi　Little Wei)，我们什么时候去小李家？

卫：星期天，好吗？

王：好。他家在上海饭店(Shànghǎi Fàndiàn　Shanghai Hotel)旁边吧？

卫：他搬家(bān jiā　to move)了，现在在中华路(Zhōnghuá Lù)38号。你认识那个地方吗？

王：不认识，问一下儿小马吧。

卫：小马，中华路在什么地方？你知道吗？

马：中华路离我奶奶(nǎinai　grandma)家很近。你们去那儿做什么？

王：看一个朋友。那儿离这儿远吗？

马：不太远。星期天我去奶奶家，你们和我一起去吧。

王：小马，你奶奶不和你们住在一起吗？

马：不住在一起。奶奶一个人住，我和爸爸、妈妈常去看她。

卫：你奶奶身体好吗？

马：身体很好。她今年六十七岁了。前边就是我奶奶家，你们去坐一会儿(yíhuìr　moment)吧！

王：十点了，我们不去了。

马：再见！

卫、王：再见！

二、语法 Grammar

句子的主要成分 The main elements of a sentence

❶ 主语和谓语 The subject and the predicate

句子一般可分为主语和谓语两大部分。主语一般在谓语之前。例如：

A sentence is normally divided into two parts, the subject and the predicate. Generally, the subject precedes the predicate, e.g.

(1) 你好！　　(2) 我去商店。

如果语言环境清楚，主语或谓语可省略。例如：

If the language context is clear, the subject or predicate can be omitted, e.g.

(3) A: 你好吗？
　　B: (我)很好。

(4) A: 谁是学生？
　　B: 他(是学生)。

❷ 宾语 The object

宾语是动词的连带成分，一般在动词后边。例如：

The object is an element related to a verb and usually follows the verb, e.g.

(1) 我认识他。　　(2) 他有一个哥哥。

(3) 他是学生。

❸ 定语 The attributive

定语一般都修饰名词。定语和中心语之间有时用结构助词"的"，如"王兰的朋友"；有时不用，如"我姐姐"、"好朋友"(见第五课语法2)。

An attributive usually modifies a noun. Sometimes, the structural particle "的" is needed between the attributive and the headword, e.g. "王兰的朋友"; at other times, however, it is not required, e.g. "我姐姐", "好朋友". (see Grammar, Sec.2 of Lesson 5)

❹ 状语 The adverbial adjunct

状语是用来修饰动词或形容词的。它一般要放在中心语的前边。例如：

An adverbial adjunct is used to modify a verb or an adjective. It usually precedes the part which is being modified, e.g.

(1) 我很好。　　(2) 他们都来。

(3) 他在家看电视。

三、练习 Exercises

❶ 回答问题 Answer the questions

(1) 一年有几个月？一个月有几个星期？一个星期有几天(tiān days)？

(2) 今天几月几号？明天星期几？星期天是几月几号？

(3) 你家有几口人？他们是谁？你妈妈工作不工作？你住在哪儿?你家离学校远不远？

❷ 用下面所给的句子练习会话 Practise conversations with the sentences given

(1) 问候 Greet each other

你好！
你好吗？
你身体好吗？

你早！
早上好！
你工作忙不忙？

你……身体好吗？
他好吗？

(2) 相识、介绍 Get to know each other

您贵姓？
你叫什么名字？
你是——

他姓什么？
他是谁？

我介绍一下儿。
我叫……。
我是……。
这是……。
认识你很高兴。

(3) 询问 Make an inquiry

A. 问时间 about time

……几月几号星期几？
……几点？
你的生日……？
你几点……？
你什么时候……？

B. 问路 about the way

……在哪儿？
去……怎么走？
……离这儿远吗？

C. 问住址 about an address

你家在哪儿？
你住在哪儿？
你住在多少号房间？

D. 问家庭 about family

你家有几口人？
你家有什么人？
你家有谁？
你有……吗？
你……做什么工作？

❸ 语音练习 Phonectic drills

（1）声调练习：第二声＋第二声　Drill on tone: 2nd tone + 2nd tone

tóngxué　　同学

nán tóngxué　　男同学

nán tóngxué lái　　男同学来

nán tóngxué lái huá chuán　　男同学来划船

（2）朗读会话　Read aloud the conversation

A：Yóujú lí zhèr yuǎn ma？

B：Bú tài yuǎn，jiù zài nàr.

A：Nà ge yóujú dà bu dà？

B：Hěn dà. Nǐ jì dōngxi ma？

A：Duì，hái mǎi jìniàn yóupiào.

四、阅读短文 Reading Passage

张丽英家有四口人：爸爸、妈妈、姐姐和她。

她爸爸是大夫，五十七岁了，身体很好。他工作很忙，星期天常常不休息。

她妈妈是银行职员，今年五十五岁。

她姐姐是老师，今年二月结婚了。她不住在爸爸妈妈家。

昨天是星期五，下午没有课。我们去她家了。她家在北京饭店旁边。我们到（dào　to arrive）她家的时候，她爸爸、妈妈不在家。我们和她一起谈话（tán huà　to talk）、听音乐、看电视……

五点半张丽英的爸爸、妈妈回家了。她姐姐也来了。我们在她家吃晚饭，晚上八点半我们就回学校了。

11

我要买橘子

I WANT TO BUY SOME ORANGES

1 句子 Sentences

061 您 要 什么？
Nín yào shénme?
What would you like?

062 苹果 多少 钱 一 斤？①
Píngguǒ duōshao qián yì jīn?
How much is a *jin* of apples?

063 两 块 五（毛）② 一 斤。
Liǎng kuài wǔ (máo) yì jīn.
Two yuan and fifty fen a *jin*.

064 您 要 多少？
Nín yào duōshao?
How much would you like?

065 您 还 要 别的 吗？
Nín hái yào biéde ma?
What else do you want?

066 不 要 了。
Bú yào le.
Nothing else.

067 我 要 买 橘子。
Wǒ yào mǎi júzi.
I want to buy some oranges.

068 您 尝尝。
Nín chángchang.
Please have a taste.

2 会话 Conversation

1 . . .

售货员：您要什么？
shòuhuòyuán: Nín yào shénme?

大卫：我要苹果。多少钱一斤？
Dàwèi: Wǒ yào píngguǒ. Duōshao qián yì jīn?

售货员：两块五(毛)。
shòuhuòyuán: Liǎng kuài wǔ (máo).

大卫：那种呢？
Dàwèi: Nà zhǒng ne?

售货员：一块三。
shòuhuòyuán: Yí kuài sān.

大卫：要这种吧。
Dàwèi: Yào zhè zhǒng ba.

售货员：要多少？
shòuhuòyuán: Yào duōshao?

大卫：两斤。
Dàwèi: Liǎng jīn.

售货员：还要别的吗？
shòuhuòyuán: Hái yào biéde ma?

大卫：不要了。
Dàwèi: Bú yào le.

2...

售货员：您要买什么？
shòuhuòyuán: Nín yào mǎi shénme?

玛丽：我要买橘子。一斤多少钱[1]？
Mǎlì: Wǒ yào mǎi júzi. Yì jīn duōshao qián?

售货员：两块八。
shòuhuòyuán: Liǎng kuài bā.

玛丽：太贵了。
Mǎlì: Tài guì le.

售货员：那种便宜。
shòuhuòyuán: Nà zhǒng piányi.

玛丽：那种好不好？
Mǎlì: Nà zhǒng hǎo bu hǎo?

售货员：您尝尝。
shòuhuòyuán: Nín cháng chang.

玛丽：好，我要四个。
Mǎlì: Hǎo, wǒ yào sì ge.

售货员：这是一斤半，三块七毛五分。
shòuhuòyuán: Zhè shì yì jīn bàn, sān kài qī máo wǔ fēn.

还买别的吗？
Hái mǎi biéde ma?

玛丽：不要了。
Mǎlì: Bú yào le.

注释：Notes

① “(苹果)多少钱一斤？”与“(橘子)一斤多少钱？”

这两句的句意相同，都是询问一斤的价钱。只是前句侧重“多少钱”能买一斤；后句侧重“一斤”需要多少钱。

Both sentences make an inquiry about the price of a *jin* and are thus the same in meaning. However, while the first lays stress on “多少钱” (i.e., the cost), the second gives emphasis to “一斤” (i.e., the weight).

② “两块五毛。”

人民币的计算单位是“元、角、分”，口语里常用“块、毛、分”，都是十进位。处于最后一位的“毛”或“分”可以省略不说。例如：

“元”,“角” and “分” are the monetary units of *Renminbi* (the Chinese currency), which adopts the decimal system. In colloquial Chinese, however, the use of “块”,“毛”,“分” is more preferable. “毛” and “分” may be omitted when they are at the end, e.g.

1.30元 → 一块三　　2.85元 → 两块八毛五

3 替换与扩展 Substitution and Extension

替换

1. 您要什么？ 我要苹果。	看	汉语书
	喝	(可口)可乐
	听	录音
	学习	汉语

2. 你尝尝。	吃	看	听	问

3. 我要买橘子。	看电视	吃苹果	喝雪碧
	上网	发电子邮件	

扩展

1. 我 常 去 百货 大楼 买 东西。那儿 的 东西 很 多，也 很 便宜。
Wǒ cháng qù Bǎihuò Dàlóu mǎi dōngxi. Nàr de dōngxi hěn duō, yě hěn piányi.

2. A：你 要 喝 什么？
Nǐ yào hē shénme?

B：有 雪碧 吗？
Yǒu Xuěbì ma?

A：有。
Yǒu.

B：要 两 瓶 吧。
Yào liǎng píng ba.

4 生 词 New Words

1 要	（动、能愿）	yào	to want, would like
2 苹果	（名）	píngguǒ	apple
3 钱	（名）	qián	money, currency
4 斤	（量）	jīn	*jin* (unit of weight)
5 块(元)	（量）	kuài (yuán)	*kuai* (unit of currency)
6 毛(角)	（量）	máo(jiǎo)	*mao* (unit of currency)
7 还	（副）	hái	still
8 别的	（代）	biéde	anything else, other

9 橘子	（名）	júzi	orange
10 尝	（动）	cháng	to taste
11 售货员	（名）	shòuhuòyuán	shop assistant
12 种	（量）	zhǒng	kind, sort
13 贵	（形）	guì	expensive
14 便宜	（形）	piányi	inexpensive, cheap
15 分	（量）	fēn	(smallest unit of Chinese currency)
16 喝	（动）	hē	to drink
17 录音	（名）	lùyīn	recording
18 多	（形、数、副）	duō	much, many
19 瓶	（名、量）	píng	bottle

专名 Proper Names

1 雪碧	Xuěbì	Sprite
2 （可口）可乐	（Kěkǒu）kělè	(Coca-) Cola

5 语 法 Grammar

1. 语气助词“了”(1) The modal particle “了” (1)

语气助词“了”有时表示情况有了变化。例如：

The modal particle “了” sometimes denotes that the situation has changed, e.g.

(1) 这个月我不忙了。(以前很忙)

(2) 现在他有工作了。(以前没有工作)

2. 动词重叠 Reduplication of verbs

汉语中某些动词可以重叠。动词重叠表示动作经历的时间短促或轻松、随便；有时也表示尝试。单音节动词重叠的形式是“AA”。例如“看看”、“听听”、“尝尝”。双音节动词重叠的形式是“ABAB”。例如：“休息休息”、“介绍介绍”。

In the Chinese language, certain verbs may be reduplicated to denote short duration or ease and casualness of an act. Sometimes they mean to have a try.The form of reduplication for a monosyllabic verb is “A A ”, e.g. “看看”, “听听”, “尝尝”, while the form of reduplication for a disyllabic verb is “ABAB”, e.g. “休息休息”, “介绍介绍”.

6 练 习 Exercises

1 用汉语读出下列钱数 Read the following sums in Chinese

6.54 元　　10.05 元　　2.30 元　　8.20 元　　42.52 元

1.32 元　　9.06 元　　57.04 元　　100 元　　24.9 元

2 用动词的重叠式造句 Make sentences with reduplicated verb forms

例：问→问问老师，明天上课吗？

介绍　看　听　学习　休息　玩儿

3 给所给的词选择适当的位置 Insert the given words into the following sentences at suitabie places

(1) 我姐姐不去 A 书店 B。（了）

(2) 他明天不来 A 上课 B。（了）

(3) 您还 A 要 B 吗？（别的）

(4) 这是两 A 斤 B，还 A 买 B 吗？（来，别的）

4 完成对话 Complete the conversations

(1) A: ________________?

B: 一瓶可乐三块五毛钱。

(2) A: 您买什么?

B: ________________。

A: 您要多少?

B: ________________。一斤橘子多少钱?

A: ________________。还要别的吗?

B: ________________。

5 听述 Listen and retell

我要买汉语书，不知道去哪儿买。今天我问王兰，她说(shuō to say)，新华书店(Xīnhuá Shūdiàn Xinhua Bookstore)有，那儿的汉语书很多。明天下午我去看看。

6 语音练习 Phonetic drills

(1) 读下列词语:第二声+第三声 Read the following words: 2nd tone+3rd tone

píjiǔ	啤酒	píngguǒ	苹果
yóulǎn	游览	shíjiǔ	十九
méiyǒu	没有	jiéguǒ	结果
máobǐ	毛笔	tíngzhǐ	停止
cídiǎn	词典	shípǐn	食品

(2) 常用音节练习 Drill on the frequently used syllables

you	yóuyǒng	游泳	zhi	zhīshi	知识
	yǒuhǎo	友好		yìzhí	一直
	zuǒyòu	左右		xìnzhǐ	信纸
	péngyou	朋友		zhèngzhì	政治

12 我想买毛衣

I WANT TO BUY A SWEATER

1 句子 Sentences

069 天 冷 了。
Tiān lěng le.
It is getting cold.

070 我 想 买 件 毛衣①。
Wǒ xiǎng mǎi jiàn máoyī.
I want to buy a sweater.

071 星期天 去，怎么样？
Xīngqītiān qù, zěnmeyàng?
What about going there on Sunday?

072 星期天 人 太 多。
Xīngqītiān rén tài duō.
It is too crowded on Sunday.

073 我 看看 那 件 毛衣。
Wǒ kànkan nà jiàn máoyī.
I want to have a look at that sweater.

074 这 件 毛衣 我 可以 试试 吗？
Zhè jiàn máoyī wǒ kěyǐ shìshi ma?
Can I try on this sweater?

075 这 件 毛衣 不 大 也 不 小。
Zhè jiàn máoyī bú dà yě bù xiǎo.
This sweater is just the right size.

076 好 极 了。②
Hǎo jí le.
That's very nice.

2 会话 Conversation

1 . . .

大卫：天 冷 了。我 想 买 件 毛衣。
Dàwèi: Tiān lěng le. Wǒ xiǎng mǎi jiàn máoyī.

玛丽：我 也 要 买 东西。我们 什么 时候 去？
Mǎlì: Wǒ yě yào mǎi dōngxi. Wǒmen shénme shíhou qù?

大卫：星期天 去，怎么样？
Dàwèi: Xīngqītiān qù, zěnmeyàng?

玛丽：星期天 人 太 多。
Mǎlì: Xīngqītiān rén tài duō.

大卫：那 明天 下午 去 吧。
Dàwèi: Nà míngtiān xiàwǔ qù ba.

2 . . .

大卫：小姐，我 看看 那 件 毛衣。
Dàwèi: Xiǎojie, wǒ kànkan nà jiàn máoyī.

售货员：好。
shòuhuòyuán: Hǎo.

大卫：我 可以 试试 吗？
Dàwèi: Wǒ kěyǐ shìshi ma?

售货员：您 试 一下儿 吧。
shòuhuòyuán: Nín shì yíxiàr ba.

玛丽：这 件 太 短 了[3]。
Mǎlì：Zhè jiàn tài duǎn le.

售货员：您 试试 那 件。
shòuhuòyuán：Nín shìshi nà jiàn.

大卫：好，我 再 试 一下儿。
Dàwèi：Hǎo, wǒ zài shì yíxiàr.

玛丽：这 件 不大也 不 小。
Mǎlì：Zhè jiàn bú dà yě bù xiǎo.

大卫：好 极 了，我 就 买 这 件。
Dàwèi：Hǎo jí le, wǒ jiù mǎi zhè jiàn.

注释：Notes

① **“我想买件毛衣”** I want to buy a sweater.

量词前的数词“一”如不在句首，可以省略。所以“买一件毛衣”可以说成“买件毛衣”。

The numeral “一” before a measure word may be omitted if it does not occur at the beginning of a sentence. So “买一件毛衣” may be reduced to “买件毛衣”.

② **“好极了”** Wonderful!

“极了”在形容词或某些状态动词后，表示达到最高程度。例如：“累极了”、“高兴极了”、“喜欢(xǐhuan)极了” 等等。

“极了” after adjectives or certain stative verbs denotes “to the highest degree”, e.g.“累极了”, “高兴极了”, “喜欢(xǐhuan to like, to enjoy) 极了”.

③ **“这件太短了”** This one is too short.

句中省略了中心语“毛衣”。在语言环境清楚时，中心语可以省略。

The headword “毛衣” in the sentence is omitted. When the language context is clear, the headword may be omitted.

3 替换与扩展 Substitution and Extension

替换

1. 我想买毛衣。

学习汉语	看电影
发短信	喝饮料

2. 我看看那件毛衣。

写	课	生词
穿	件	衣服
尝	种	橘子

3. 这件毛衣不大也不小。

件	衣服	长	短
课	生词	多	少

扩展

1. 今天 的 工作 很 多，我 累 极 了。
   Jīntiān de gōngzuò hěn duō, wǒ lèi jí le.
2. 那 个 电影 不 太 好，我 不 想 看。
   Nà ge diànyǐng bú tài hǎo, wǒ bù xiǎng kàn.
3. 请 你 介绍 介绍 北京 吧。
   Qǐng nǐ jièshào jièshào Běijīng ba.

4 生 词 New Words

1 想	(动、能愿)	xiǎng	to feel like, to want
2 毛衣	(名)	máoyī	sweater
3 天	(名)	tiān	weather, sky
4 冷	(形)	lěng	cold
5 件	(量)	jiàn	piece
6 怎么样	(代)	zěnmeyàng	how, what about...
7 可以	(能愿)	kěyǐ	can,may
8 试	(动)	shì	to try on, to test
9 大	(形)	dà	big, large
10 小	(形)	xiǎo	little, small
11 …极了		…jí le	extremely, very
12 小姐	(名)	xiǎojie	miss
13 短	(形)	duǎn	short
14 再	(副)	zài	again
15 短信	(名)	duǎnxìn	message
16 饮料	(名)	yǐnliào	drink
17 生词	(名)	shēngcí	new words
18 穿	(动)	chuān	to wear, to put on
19 衣服	(名)	yīfu	dress, clothes
20 长	(形)	cháng	long

21 少	（形）	shǎo	little, few

5 语 法 Grammar

1. 主谓谓语句 The sentence with a subject-predicate construction as its predicate

由主谓短语作谓语的句子叫主谓谓语句。主谓短语的主语所指的人或事物常跟全句的主语有关。例如：

Sentences of this type have a subject-predicate construction as its predicate. The person or thing denoted by the subject of this phrase is often related to the subject of the whole sentence, e.g.

（1）他身体很好。 （2）我工作很忙。 （3）星期天人很多。

2. 能愿动词 Modal verbs

❶ 能愿动词"想、要、可以、会"等常放在动词前边表示意愿、能力或可能。能愿动词的否定式是在能愿动词前加"不"。例如：

Modal verbs such as "想", "要", "可以", "会" are often put before verbs to show will, capability or possibility. The negative forms of these verbs are formed by putting "不" before them, e.g.

（1）他要买书。 （2）我想回家。

（3）可以去那儿。 （4）我不想买东西。

❷ 能愿动词"要"的否定形式常用"不想"。例如：

"不想" is often used as the negative form of the modal verb "要", e.g.

（5）你要喝饮料吗？——我现在不想喝。

❸ 带有能愿动词的句子，只要把能愿动词的肯定形式与否定形式并列起来，就构成了正反疑问句。例如：

For a sentence with a modal verb, its affirmative-negative (V+不+V) question is formed by juxtaposing the positive form and the negative form of that modal verb, e.g.

（6）你想不想去长城？ （7）你会不会说汉语？

6 练习 Exercises

1 填入适当的量词，然后用"几"或"多少"提问 Fill in the blanks with proper measure words and then raise questions with "几" or "多少"

例：我要三____橘子。→ 我要三 斤 橘子。 你要几斤橘子？

(1) 我想买一______可乐。
(2) 我要买两______衣服。
(3) 我家有五______人。
(4) 两个苹果要五______六______。
(5) 这是六______苹果。
(6) 那个银行有二十五______职员。
(7) 这课有十七______生词。

2 用括号中的词语完成句子 Complete the following sentences with the words in the brackets

(不……也不……　太……了　……极了　可以　想)

(1) 这种________，那种便宜，我买那种。
(2) 我很忙，今天________，想休息休息。
(3) 这件衣服________，你穿________极了。
(4) 今天不上课，我们________。
(5) 明天星期天，我________。

3 找出错误的句子并改正 Correct the errors in the following sentances if there are any

(1) A：你要吃苹果吗？
B：我要不吃苹果。

(2) A：星期日你想去不去玩儿？
B：我想去。你想不想去？

(3) A：请问，这儿能上不上网？
B：能，这儿是留学生楼的网吧。

(4) A：商店里人多吗？
B：商店里很多人。

4 谈谈你买的一件东西 Talk about a thing you've bought

提示：多少钱？贵不贵？买的时候有几种？那几种怎么样？

Suggested points: How much money did you spend on it? Was it expensive? How many kinds were there at the time when you bought it? What did you think of the others?

5 听述 Listen and retell

A：这是张丽英买的毛衣。她穿太小，我穿太大，你试试怎么样？

B：不长也不短，好极了。多少钱？

A：不知道。不太贵。

B：我们去问问丽英。

A：现在她不在，下午再去问吧。

6 语音练习 Phonetic drills

（1）读下列词语：第二声+第四声 Read the following words: 2nd tone +4th tone

yóupiào	邮票	yúkuài	愉快
tóngzhì	同志	xuéyuàn	学院
shíyuè	十月	qúnzhòng	群众
chéngdù	程度	guójì	国际
wénhuà	文化	dédào	得到

（2）常用音节练习 Drill on the frequently used syllables

ji	shōuyīnjī	收音机	yong	yōngjǐ	拥挤
	zháojí	着急		yǒnggǎn	勇敢
	jǐ ge	几个		yóuyǒng	游泳
	jì xìn	寄信		bú yòng	不用

13 要换车

YOU HAVE TO CHANGE BUSES

1 句子 Sentences

077 这 路 车 到 天安门 吗？
Zhè lù chē dào Tiān'ānmén ma?
Does this bus go to Tian'anmen?

078 我 买 两 张 票。
Wǒ mǎi liǎng zhāng piào.
I want two tickets.

079 给 你 五 块 钱。
Gěi nǐ wǔ kuài qián.
Here's five yuan.

080 到 天安门 还 有 几 站？
Dào Tiān'ānmén hái yǒu jǐ zhàn?
How many more stops are there before we reach Tian'anmen?

081 我 会 说 一点儿 汉语。
Wǒ huì shuō yìdiǎnr Hànyǔ.
I can speak a bit of Chinese.

082 天安门 到 了。
Tiān'ānmén dào le.
Here we are at Tian'anmen?

083 去 语言 大学 要 换 车①吗？
Qù Yǔyán Dàxué yào huàn chē ma?
Shall I change buses on my way to the Language and Culture University.

084 换 几 路 车？
Huàn jǐ lù chē?
Which bus shall I change to?

2 会话 Conversation

1

玛丽：请 问，这 路 车 到 天安门 吗？
Mǎlì：Qǐng wèn, zhè lù chē dào Tiān'ānmén ma?

售票员：到。上 车 吧。
shòupiàoyuán：Dào. Shàng chē ba.

大卫：买 两 张 票。多少 钱 一 张？
Dàwèi：Mǎi liǎng zhāng piào. Duōshao qián yì zhāng?

售票员：两 块。
shòupiàoyuán：Liǎng kuài.

大卫：给 你 五 块 钱。
Dàwèi：Gěi nǐ wǔ kuài qián.

售票员：找 你 一 块。
shòupiàoyuán：Zhǎo nǐ yí kuài.

玛丽：请 问，到 天安门 还 有 几 站？
Mǎlì：Qǐng wèn, dào Tiān'ānmén hái yǒu jǐ zhàn?

A：三 站。你们 会 说 汉语？②
Sān zhàn. Nǐmen huì shuō Hànyǔ?

大卫：会 说 一点儿。
Dàwèi：Huì shuō yìdiǎnr.

玛丽：我 说 汉语，你 懂 吗？
Mǎlì：Wǒ shuō Hànyǔ, nǐ dǒng ma?

A: 懂。你们 是 哪 国 人?
Dǒng. Nǐmen shì nǎ guó rén?

大卫: 我 是 法国 人。
Dàwèi: Wǒ shì Fǎguórén.

玛丽: 我 是 美国 人。
Mǎlì: Wǒ shì Měiguórén.

售票员: 天安门 到 了。请 下 车 吧。
shòupiàoyuán: Tiān'ānmén dào le. Qǐng xià chē ba.

2. . .

大卫: 我 买 一 张 票。
Dàwèi: Wǒ mǎi yì zhāng piào.

售票员: 去 哪儿?
shòupiàoyuán: Qù nǎr?

大卫: 去 语言 大学。要 换 车 吗?
Dàwèi: Qù Yǔyán Dàxué. Yào huàn chē ma?

售票员: 要 换 车。
shòupiàoyuán: Yào huàn chē.

大卫: 在 哪儿 换 车?
Dàwèi: Zài nǎr huàn chē?

售票员: 北京 师范 大学。
shòupiàoyuán: Běijīng Shīfàn Dàxué.

大卫: 换 几 路 车?
Dàwèi: Huàn jǐ lù chē?

售票员: 换 726 路。
shòupiàoyuán: Huàn qī èr liù lù.

大卫：一张 票 多少 钱？
Dàwèi：Yì zhāng piào duōshao qián?

售票员：两 块。
shòupiàoyuán：Liǎng kuài.

大卫：谢谢！
Dàwèi：Xièxie!

售票员：不谢。
shòupiàoyuán：Bú xiè.

注释：Notes

① **“要换车。” One has to change buses.**

能愿动词“要”在这里表示事实上的需要。

The modal verb “要” here expresses an actual necessity.

② **“你们会说汉语？” You can speak Chinese?**

句末用升调，表示疑问语气。

The rising tone at the end of a sentence has an interrogative implication.

3 替换与扩展 Substitution and Extension

替换

1. 买两<u>张</u> <u>票</u> 。	杯 可乐	张 地图
	张 八毛的邮票	个 苹果

2.给你五块钱。	他 本 书	我 个 本子
	你 杯 饮料	你 个 橘子

3.你是哪国人？——我是法国人。	中国	美国	韩国
	英国	日本	印度尼西亚

扩展

A：你们 会 说 汉语 吗？
Nǐmen huì shuō Hànyǔ ma?

B：他 会 说 一点儿，我 不 会。
Tā huì shuō yìdiǎnr, wǒ bú huì.

4 生词 New Words

1 换	（动）	huàn	to change
2 车	（名）	chē	bus, train
3 到	（动）	dào	to reach, to get to
4 张	（量）	zhāng	(measure word)
5 票	（名）	piào	ticket
6 站	（名、动）	zhàn	bus stop; to stand
7 上（车）	（动）	shàng (chē)	to get on
8 会	（能愿、动）	huì	can, to be able to

9 说	（动）	shuō	to speak
10 一点儿		yìdiǎnr	a bit, a little
11 售票员	（名）	shòupiàoyuán	conductor
12 给	（动、介）	gěi	to give
13 找	（动）	zhǎo	to look for, to change
14 懂	（动）	dǒng	to understand
15 哪	（代）	nǎ	which
16 国	（名）	guó	nation
17 下（车）	（动）	xià (chē)	to get off (the bus)
18 杯	（名，量）	bēi	cup
19 地图	（名）	dìtú	map
20 本	（量）	běn	(measure word)
21 本子	（名）	běnzi	exercise book

专名 Proper Names

1 法国	Fǎguó	France
2 北京师范大学	Běijīng Shīfàn Dàxué	Beijing Normal University
3 中国	Zhōngguó	China
4 英国	Yīngguó	Britain
5 日本	Rìběn	Japan
6 韩国	Hánguó	the Republic of Korea
7 印度尼西亚	Yìndùníxīyà	Indonesia

5 语 法 Grammar

1.双宾语动词谓语句 The sentence with a ditransitive verb as its predicate

汉语中某些动词可以带两个宾语，前一个是间接宾语(一般指人)，后一个是直接宾语(一般指事物)。这种句子叫双宾语动词谓语句。例如：

Some verbs in Chinese may take two objects, the first being the indirect object (normally referring to persons) and the second being the direct object (normally referring to things). Such a sentence is known as the sentence with a ditransitive verb as its predicate, e.g.

(1) 我给你一本书。 (2) 他找我八毛钱。

2.能愿动词“会” The modal verb “会”

能愿动词“会”可以表示几种不同的意思。常用的有以下两种：

The modal verb “会” has several different meanings. Frequently used are the following two:

1. 通过学习掌握了某种技巧。例如：

   to master a skill through learning, e.g.

(1) 他会说汉语。 (2) 我不会做中国饭。

2. 表示可能性。例如：

   to express possibility, e.g.

(3) 他会来吗？

——现在九点半了，他不会来了。

3.数量词作定语 Numeral-measure compounds acting as attributives

在现代汉语里，数词一般不能直接修饰名词，中间必须加上特定的量词。如“两张票”、“三个本子”、“五个学生”。

In modern Chinese, numerals are generally not used to modify nouns directly. One needs to put specific measure words between them, e.g. “两张票”, “三个本子”, “五个学生”.

6 练习 Exercises

1 熟读下列短语并选择五个造句 Read until fluent the following phrases and choose five of them to make sentences

给你	找钱	吃(一)点儿	说英语
发短信	穿衣服	坐汽车	去商店

2 用上"在"、"往"、"去"完成句子 Complete the following sentences with "在", "往", "去"

(1) 大卫____________学习汉语。

(2) 我去王府井，不知道____________坐汽车。

(3) ____________走，就是331路车站。

(4) 请问，____________怎么走？

(5) 我____________，欢迎你来玩儿。

3 完成对话 Complete the following coversation

(1) A：你会说汉语吗？

B：____________。（一点儿）

(2) A：____________？（多少）

B：一张票四块钱。

A：给你十块。

B：____________。（找）

(3) A：现在晚上九点半了，他会来吗？

B：____________。（不）

4 根据划线部分，用疑问代词提问 Use interrogative pronouns to ask questions about the underlined parts

(1) 山下和子是日本留学生。
(2) 我有三个本子，两本书。
(3) 我 认识大卫的妹妹。
(4) 今天晚上我去看电影。
(5) 我在天安门坐汽车。
(6) 他爸爸的身体好极了。

5 听述 Listen and retell

我认识一个中国朋友，他在北京大学学习。昨天我想去看他。我问刘京去北京大学怎么走。刘京说，北京大学离这儿很近，坐375路汽车可以到，我就去坐375路汽车。

375路车站就在前边。汽车来了，我问售票员，去不去北京大学。售票员说去，我很高兴，就上车了。

6 语音练习 Phonetic drills

(1) 读下列词语：第二声+轻声 Read the following words: 2nd tone+neutral tone

biéde	别的	pútao	葡萄
nánde	男的	láile	来了
chuán shang	船上	júzi	橘子
máfan	麻烦	shénme	什么
tóufa	头发	liángkuai	凉快

(2) 常用音节练习 Drill on the frequently used syllables

	liángkuai	凉快		dǎlāo	打捞
liang	liǎng ge	两个	lao	láodòng	劳动
	yuèliang	月亮		lǎoshī	老师

需要（四）
xūyào

14

NEEDS (4)

我要去换钱

I AM GOING TO CHANGE MONEY

1 句子 Sentences

085 钱 都 花 了。
Qián dōu huā le.
I've run out of money.

086 听说， 饭店 里 可以 换 钱。
Tīngshuō, fàndiàn li kěyǐ huàn qián.
I hear that one can change money in a hotel.

087 这儿 能 不 能 换 钱？
Zhèr néng bu néng huàn qián?
Is it possible to change money here?

088 您 带 的 什么 钱？
Nín dài de shénme qián?
What kind of money have you brought with you?

089 请 您 写 一下儿 钱 数。
Qǐng nín xiě yíxiàr qián shù.
Please write down the sum of money.

090 请 数 一 数。①
Qǐng shǔ yi shǔ.
Please count the money.

091 时间 不 早 了。
Shíjiān bù zǎo le.
It is getting late.

092 我们 快 走 吧！
Wǒmen kuài zǒu ba!
Let us hurry.

2 会话 Conversation

1

玛丽：钱 都 花 了，我 没 钱 了。我 要 去 换 钱。
Mǎlì: Qián dōu huā le, wǒ méi qián le. Wǒ yào qù huàn qián.

大卫：听说， 饭店 里 可以 换 钱。
Dàwèi: Tīngshuō, fàndiàn li kěyǐ huàn qián.

玛丽：我们 去 问问 吧。
Mǎlì: Wǒmen qù wènwen ba.

2

玛丽：请 问，这儿 能 不 能 换 钱？
Mǎlì: Qǐng wèn, zhèr néng bu néng huàn qián?

营业员：能。您 带 的 什么 钱？
yíngyèyuán: Néng. Nín dài de shénme qián?

玛丽：美元。
Mǎlì: Měiyuán.

营业员：换 多少？
yíngyèyuán: Huàn duōshao?

玛丽：五 百 美元。一 美元 换 多少 人民币？
Mǎlì: Wǔ bǎi měiyuán. Yī měiyuán huàn duōshao rénmínbì?

营业员：八 块 二 毛 一。请 您 写 一下儿 钱 数。
yíngyèyuán: Bā kuài èr máo yī. Qǐng nín xiě yíxiàr qián shù.

再 写一下儿名字。
Zài xiě yíxiàr míngzi.

玛丽：这样 写，对不对？
Mǎlì: Zhèyàng xiě, duì bu duì?

营业员：对。给您 钱，请 数一数。
yíngyèyuán: Duì. Gěi nín qián, qǐng shǔ yi shǔ.

玛丽：谢谢！
Mǎlì: Xièxie!

大卫：时间 不早了，我们 快 走吧！
Dàwèi: Shíjiān bù zǎo le, wǒmen kuài zǒu ba!

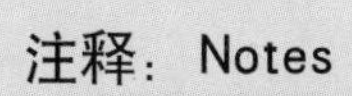

① "请数一数。" Please count the money.

"数一数"与 "数数" 的意思相同。单音节动词重叠，中间可加 "一"。例如"听一听"、"问一问"等。

"数一数" means the same as "数数". If a monosyllabic verb is reduplicated, one may add "一" in between, e.g. "听一听", "问一问" and so on.

3 替换与扩展 Substitution and Extension

替换

1. 听说，饭店里可以换钱。
   - 他回国了
   - 大卫会说汉语
   - 小王会一点儿英语

2. 请您写一下儿钱数。	问	电话号码
	念	生词
	写	这个汉字
	等	玛丽

3. 我们快走吧！	你　来	你们　去
	我们　吃	玛丽　写

扩展

1. 没有　时间　了，不　等　他　了。
   Méiyǒu shíjiān le, bù děng tā le.
2. 这　是　他　的　信。　请　你　给　他。
   Zhè shì tā de xìn. Qǐng nǐ gěi tā.

4 生词 New Words

1 听说	（动）	tīngshuō	it is said, I hear
2 饭店	（名）	fàndiàn	hotel
3 里	（名）	lǐ	inside
4 能	（能愿）	néng	can, to be able to
5 带	（动）	dài	to take, to bring
6 数	（名）	shù	number

7 数	（动）	shǔ	to count
8 时间	（名）	shíjiān	time
9 快	（形）	kuài	quick, rapid
10 花	（动）	huā	to spend
11 营业员	（名）	yíngyèyuán	shop employee
12 美元	（名）	měiyuán	US dollar
13 百	（数）	bǎi	hundred
14 人民币	（名）	rénmínbì	RMB (Chinese monetary unit)
15 这样	（代）	zhèyàng	this
16 电话	（名）	diànhuà	telephone
17 号码	（名）	hàomǎ	telephone number
18 念	（动）	niàn	to read
19 汉字	（名）	Hànzì	Chinese character
20 等	（动）	děng	to wait

5 语 法 Grammar

1. 兼语句 The pivotal sentence

谓语由两个动词短语组成，前一个动词的宾语同时又是后一个动词的主语，这种句子叫兼语句。兼语句的动词常常是带有使令意义的动词。如“请”、“让”、“叫”等。例如：

A sentence is called a pivotal sentence if its predicate consists of two verb phrases with the object of the first verb functioning at the same time as the subject of the second verb. In such a sentence, the first verb often has a causative meaning. “请”, “让 ràng”, “叫”, etc. are verbs of this type, e.g.

(1) 请您写一下儿名字。　　(2) 请他吃饭。

2.语气助词“了”(2) The modal particle “了” (2)

❶ 有时 “了”表示某件事或某种情况已经发生。试比较下面两组对话：

Sometimes, “了” is used to denote that a certain event or situation has already taken place.Please compare the following two dialogues:

(1) 你去哪儿？
——我去商店。
你买什么？
——我买苹果。

(2) 你去哪儿了？
——我去商店了。
你买什么了？
——我买苹果了。

第(1)组对话没用“了”，表示“去商店”、“买苹果”这两件事尚未发生；第(2)组用“了”，表示这两件事已经发生了。

In the first dialogue “了” doesn't occur, which shows that the two events “去商店” and “买苹果” have not yet happened, but in the second dialogue “了” is used, which shows that the above-mentioned events have already taken place.

❷ 带语气助词“了”的句子，其否定形式是在动词前加副词“没(有)”，去掉句尾的“了”。正反疑问句是在句尾加上“……了没有”，或者并列动词的肯定形式和否定形式“……没……”。例如：

The negative form of the sentence with the modal particle “了” is realized by putting the adverb “没(有)” before the verb while omitting “了” at the end of the sentence. To form an affirmative-negative question, one adds at its end “…了没有” or juxtaposes the affirmative and negative forms of the verb like this:“…没…”, e.g.

(3) 他没去商店。　　(4) 我没买苹果。
(5) 你吃饭了没有？　　(6) 你吃没吃饭？

6 练　习 Exercises

❶ **用“要”、“想”、“能”、“会”、“可以”和括号中的词语完成句子** Complete the following sentences with “要”, “想”, “能”, “会”, “可以” and the words in the parentheses

(1) 明天我有课，__________________。(玩儿)
(2) 听说那个电影很好，__________________。(看)
(3) 你__________________吗?(说)
(4) 这个本子不太好，__________________?(换)
(5) 现在我__________________，请你明天再来吧。(上课)

2 用“再”、“可以”、“会”、“想”填空 Fill in the blanks with “再”，“可以”，“会”，“想”

这个汉字我不____写，张老师说，我____去问他。我_____明天去。大卫说，张老师很忙，明天不要去，星期天____去吧。

3 改错句 Correct the mistakes in the following sentences

(1) 昨天我没给你发短信了。

(2) 他常常去食堂吃饭了。

(3) 昨天的生词很多了。

(4) 昨天我不去商店，明天我去商店了。

4 完成对话 Complete the conversations

(1) A：__________________?
B：我去朋友家了。
A：__________________?
B：现在我回学校。

(2) A：__________________，好吗?
B：好。你等一下，我去换件衣服。
A：__________________。
B：这件衣服__________________?
A：很好，我们走吧。

5 听述 Listen and retell

和子想换钱。她听说学校的银行能换，就去了。营业员问她带的什么钱，要换多少，还说要写一下儿钱数和名字，和子都写了。换钱的时候，和子对营业员说："对不起，我忘（wàng to forget）带钱了。"

6 语音练习 phonetic drills

（1）读下列词语：第三声+第一声 Read the following words：3rd tone+lst tone

Běijīng	北京	shǒudū	首都
hǎochī	好吃	měi tiān	每天
lǎoshī	老师	kǎoyā	烤鸭
qǐfēi	起飞	jiǎndān	简单
hěn gāo	很高	huǒchē	火车

（2）常用音节练习 Drill on frequently used syllables

li

lí kāi	离开
lǐbiān	里边
lìshǐ	历史
dàoli	道理

dao

dāozi	刀子
shuāi dǎo	摔倒
zhīdào	知道
dìdào	地道

15 我要照张相

I WANT TO TAKE A PICTURE

1 句子 Sentences

093 这 是 新 出 的 纪念 邮票。
Zhè shì xīn chū de jìniàn yóupiào.
This is a newly-issued commemorative stamp.

094 还 有 好看 的 吗？
Hái yǒu hǎokàn de ma?
Are there any other good-looking stamps?

095 这 几 种 怎么样？①
Zhè jǐ zhǒng zěnmeyàng?
How about these few kinds?

096 请 你 帮 我 挑挑。
Qǐng nǐ bāng wǒ tiāotiao.
Please help me choose some.

097 一样 买 一 套 吧。
Yí yàng mǎi yí tào ba.
Give me a set each.

098 手机 没 电 了。
Shǒujī méi diàn le.
The mobile phone is power off.

099 她 关 机 了。
Tā guān jī le.
She has turned off the mobile phone.

100 你 打 通 电话 了 吗？
Nǐ dǎ tōng diànhuà le ma?
Did you get through the phone?

2 会话 Conversation

1. . . (在邮局)

和子：有 纪念 邮票 吗？
Hézǐ：Yǒu jìniàn yóupiào ma?

营业员：有，这 是 新 出 的。
yíngyèyuán：Yǒu, zhè shì xīn chū de.

和子：好，买 两 套。还 有 好看 的 吗？
Hézǐ：Hǎo, mǎi liǎng tào. Hái yǒu hǎokàn de ma?

营业员：你 看看，这 几 种 怎么样？
yíngyèyuán：Nǐ kànkan, zhè jǐ zhǒng zěnmeyàng?

和子：请 你 帮 我 挑挑。
Hézǐ：Qǐng nǐ bāng wǒ tiāotiao.

营业员：我 看 这 四 种 都 很 好。
yíngyèyuán：Wǒ kàn zhè sì zhǒng dōu hěn hǎo.

和子：那 一 样 买 一 套 吧。
Hézǐ：Nà yí yàng mǎi yí tào ba.

营业员：买 电话卡 吗？
yíngyèyuán：Mǎi diànhuàkǎ ma?

和子：不，我 有。
Hézǐ：Bù, wǒ yǒu.

2. . .

和子：这个 公园 不错。
Hézǐ: Zhè ge gōngyuán búcuò.

张丽英：那种 花 真 好看，我 要 照 张 相。
Zhāng Lìyīng: Nà zhǒng huā zhēn hǎokàn, wǒ yào zhào zhāng xiàng.

和子：给 玛丽 打 个 电话，叫 她 来 吧。
Hézǐ: Gěi Mǎlì dǎ ge diànhuà, jiào tā lái ba.

张丽英：哎呀，我 的 手机 没 电 了。
Zhāng Lìyīng: Āiyā, wǒ de shǒujī méi diàn le.

和子：我 打 吧。
Hézǐ: Wǒ dǎ ba.

张丽英：也 好。我 去 买 点儿 饮料。
Zhāng Lìyīng: Yě hǎo. Wǒ qù mǎi diǎnr yǐnliào.

3...

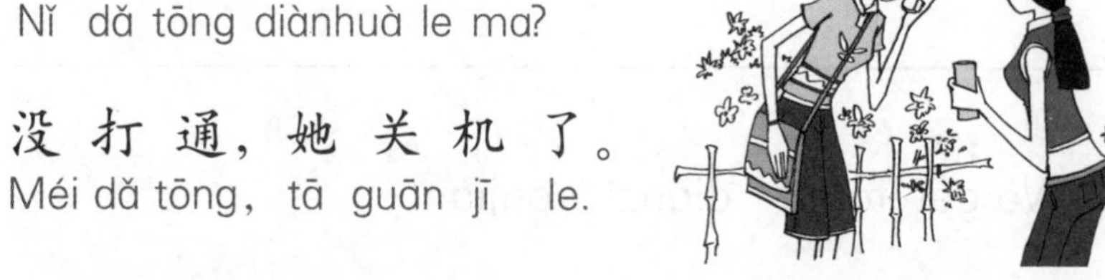

张丽英：你 打通 电话 了 吗？
Zhāng Lìyīng: Nǐ dǎ tōng diànhuà le ma?

和子：没 打 通，她 关 机 了。
Hézǐ: Méi dǎ tōng, tā guān jī le.

注释：Notes

① **“这几种怎么样？” What about these few kinds?**

这里的“几”不是提问，是表示概数。是用来表示十以下的一个不确定的数目。例如“我有十几张邮票”、“教室里有几十个学生”等。

“几” here is not interrogative, but an approximation denoting an indefinite number under 十, e.g. “我有十几张邮票”, “教室里有几十个学生”, and so on.

3 替换与扩展 Substitution and Extension

替换

1. 这是新出的纪念邮票。

买 照相机	买 电脑
做 衣服	来 老师

2. 请你帮我挑挑邮票。

我 交 电话费	我 找 玛丽
他 问 电话号码	
我 拿 东西	

3. 你打通电话了吗？

吃 完 饭	看 完 那本书
找 到 玛丽	买 到 电脑

扩展

1. 我给他发电子邮件。
   Wǒ gěi tā fā diànzǐ yóujiàn.

2. 我给东京的朋友打电话。我说汉语，
   Wǒ gěi Dōngjīng de péngyou dǎ diànhuà. Wǒ shuō Hànyǔ,

   他不懂；说英语，他听懂了。
   tā bù dǒng; shuō Yīngyǔ, tā tīng dǒng le.

4 生 词 New Words

1 照相		zhào xiàng	to take photos
2 新	（形）	xīn	new
3 出	（动）	chū	to issue, to publish
4 纪念	（名、动）	jìniàn	commemoration; to commemorate
5 好看	（形）	hǎokàn	good-looking, nice
6 帮	（动）	bāng	to help
7 挑	（动）	tiāo	to choose
8 样	（量、名）	yàng	kind, type
9 套	（量）	tào	set
10 电	（名）	diàn	electricity
11 关机		guān jī	to turn off a mobile phone
12 打	（动）	dǎ	to make (a call)
13 通	（动）	tōng	to be through
14 卡	（名）	kǎ	card
15 不错	（形）	búcuò	not bad
16 真	（形、副）	zhēn	real; really
17 哎呀	（叹）	āiyā	lumme
18 照相机	（名）	zhàoxiàngjī	camera
19 交	（动）	jiāo	to pay
20 费	（名、动）	fèi	fee; expend

21 拿	(动)	ná	to take
22 完	(动)	wán	to finish, to end

专名 Proper Names

东京	Dōngjīng	Tokyo

5 语 法 Grammar

1.“是”字句(2) The “是” sentence (2)

名词、代词、形容词等后面加助词“的”组成“的”字结构，具有名词的性质和作用，可独立使用。这种“的”字结构常出现在“是”字句里。例如：

The “的” construction, which consists of a noun, a pronoun or an adjective and the particle “的”, has the same characteristics and functions as a noun. It may be used independently. The “的” construction often occurs in the “是” sentence, e.g.

(1) 这个本子是我的。(2) 那套邮票是新的。(3) 这件毛衣不是玛丽的。

2.结果补语 The complement of result

❶ 说明动作结果的补语叫结果补语。结果补语常由动词或形容词充任。例如 “打通”、“写对”等。

The complement which tells the result of an action is known as the complement of result. As a rule, it is a verb or an adjective that acts as the complement of result, e.g. “打通”, “写对”, and so on.

❷ 动词“到”作结果补语，表示人或运行的器物通过动作达到某个地点或动作持续到某时间，也可以表示动作进行到某种程度。例如：

When the verb “到” is used as a complement of result, it shows that a person or a transportation vehicle has reached a certain place in the manner indicated by the preceding verb, or that the action expressed by the preceding verb (has) lasted up to a certain point of time or reached to a certain degree, e.g.

(1) 他回到北京了。 (2) 我们学到第十五课了。
(3) 昨天晚上工作到十点。

③ 带结果补语的句子的否定式是在动词前加"没(有)"。例如:

The negative form of a sentence with a complement of result is realized by putting "没(有)" before the main verb, e.g.

(4) 我没买到那本书。 (5) 大卫没找到玛丽。

3. 介词"给" The preposition "给"

介词"给"可以用来引出动作、行为的接受对象。例如:

The preposition "给" may be used to introduce the recipient of an action,e.g.

(1) 昨天我给你打电话了。 (2) 他给我做衣服。

6 练 习 Exercises

① 熟读下列词组,每组选择一个造句 Read until fluent the following phrases and make a sentence with one from each group

新 书 / 本子 / 衣服

帮 你找找 / 他拿东西 / 妈妈做饭

交 钱 / 电话费 / 朋友

② 仿照例句改写句子(用上适当的量词) Rewrite the sentences by following the model (Try to use some appropriate measure words)

例:这是一件新毛衣。→ 这件毛衣是新的。

(1) 这是妹妹的邮票。 (2) 那是一本新书

(3) 这是大卫的照相机。 (4) 这是一个日本电影。

③ 用下列词语完成句子 Complete the following sentences with the words below

(真 交 完 通)

(1) 我的钱__________,我要去换钱。

(2) 这个月的手机费，你＿＿＿＿＿＿＿吗？

(3) 我给玛丽打电话，没＿＿＿＿＿＿＿，明天再打。

(4) 这种＿＿＿＿＿＿＿，我也想买。

4 完成对话 Complete the conversations

(1) A：你找什么？

B：＿＿＿＿＿＿＿＿＿＿。

A：你的书是新的吗？

B：＿＿＿＿＿＿＿＿＿＿。

(2) A：＿＿＿＿＿＿＿＿＿＿？

B：我没有。你有纪念邮票吗？

A：有。

B：＿＿＿＿＿＿＿＿＿＿？

A：对，是新出的。

(3) A：这个照相机是谁的？

B：＿＿＿＿＿＿＿＿＿＿。

A：＿＿＿＿＿＿＿＿＿＿？

B：对。你看，很新。

5 听述 Listen and retell

这个照相机是大卫新买的。昨天北京大学的两个中国学生来玩儿，我们一起照相了。北京大学的朋友说，星期日请我们去玩儿。他们在北大东门(dōng mén east gate)等我们。我们去的时候，先(xiān at first) 给他们打电话。

6 语音练习 Phonetic drills

(1) 读下列词语：第三声+第二声 Read the following words：3rd tone+2nd tone

yǔyán	语言	yǐqián	以前
yǒumíng	有名	qǐ chuáng	起床
lǚxíng	旅行	Měiguó	美国
hěn cháng	很长	jǔxíng	举行
jiǎnchá	检查	zǎochén	早晨

(2) 常用音节练习 Drill on frequeatly used syllables

	fēnzhōng	分钟		zǐxì	仔细
zhong	yì zhǒng	一种	zi	Hànzì	汉字
	zhòngyào	重要		zhuōzi	桌子

复习(三)

Review (Ⅲ)

一、会话 Conversation

〔听见敲门 to knock at the door，去开门 to open the door〕

李：谁啊？

王：小李，你好！

卫：我们来看你了。

李：是你们啊！快请进！……请坐，请喝茶（chá tea）。

王、卫：谢谢！

李：你们怎么找到这儿的？

王：小马带我们来的。

卫：小马的奶奶家离这儿很近。他去奶奶家，我们就和他一起来了。

李：你们走累了吧？

王：不累。我们下车以后（yǐhòu after），很快就找到了这个楼。

卫：你家离你工作的地方很远吧？

李：不远，坐18路汽车就可以到那儿。你们学习忙吧？

王：很忙，每天（měi tiān every day）都有课，作业（zuòyè homework）也很多。

卫：今天怎么你一个人在家？你爸爸、妈妈呢？

李：我爸爸、妈妈的一个朋友要去美国，今天他们去看那个朋友了。

王：啊（à ah），十一点半了，我们去饭店吃饭吧。

李：到饭店去吃饭要等很长时间，也很贵，就在我家吃吧。我还要请你们尝尝我的拿手（náshǒu to be good at）菜呢！

王、卫：太麻烦（máfan troublesome）你了。

二、语法 Grammar

能愿动词小结 Summary of modal verbs

1.想

表示主观上的意愿，侧重“打算”、“希望”。例如：

“想” expresses the will of a person, emphasizing one's intention or desire, e.g.

你想去商店吗？——我不想去商店，我想在家看电视。

2.要

能愿动词“要”的主要意思和用法有：

The main meanings and uses of the modal verb “要” are as follows:

❶ 表示主观意志上的要求。否定式是“不想”。例如：

to express the wish of a person. Its negative form is “不想”, e.g.

(1) 我要买件毛衣。

(2) 你要看这本书吗？——我不想看，我要看那本杂志。

❷ 表示客观事实上的需要。否定式常用“不用”。例如：

to express practical necessity. Its negative form is usually “不用”, e.g.

要换车吗？——要换车（不用换车）。

3.会

❶ 表示通过学习掌握一种技能。例如：

to show that one masters a skill through learning, e.g.

(1) 他会说汉语。 (2) 我不会做菜。

❷ 表示可能性。例如：

to express possibility, e.g.

现在十点了，他不会来了吗？——别着急 (bié zháojí don't worry)，他会来的。

4.能

❶ 表示具有某种能力。例如：

to express capability, e.g.

大卫能用汉语谈话 (tán huà to talk, to speak)。

❷ 也可表示客观上的允许。例如：

also to express objective permission, e.g.

你明天上午能来吗？——不能来，明天我有事。

5.可以

表示客观或情理上的许可。例如：

to express objective or rational permission. e.g.

(1) 我们可以走了吗？——可以。

(2) 我们可以在这儿玩儿吗？——不行 (xíng O.K.)，这儿要上课。

三、练习 Exercises

1 用动词"给"和括号内的词语造双宾语句 Make sentences with two objects, using the verb "给" and the words in the parentheses

（本子　词典　钱　纪念邮票　苹果）

2 回答问题 Answer the following questions

(1) 这本书生词多吗？

(2) 你的词典是新的吗？那本书是谁的？

(3) 你会说汉语吗？你会不会写汉字？

3 用下面所给的句子，进行会话练习 Practise conversations with the following sentences

（1）买东西

你要买什么？

要多少？

还要别的吗？

请先交钱。

找你……钱。

请数一数。

请问，有……吗？

一(斤)多少钱？

多少钱一(斤)？

在这儿交钱吗？

在哪儿交钱？

给你钱。

（2）坐车

这路车到……吗？

到……还有几站？

一张票多少钱？

买……张票。

在哪儿换车？

换几路车？

我去……

在……上的。

在……下车。

（3）换钱

这儿能换钱吗？
……能换多少人民币？

你带的什么钱？
换多少？
请写一下钱数和名字。

4 语音练习 Phonetic drills

（1）声调练习：第四声+第三声 Drill on tones：4th tone+3rd tone

Hànyǔ （汉语）
huì jiǎng Hànyǔ （会讲汉语）
Dàwèi huì jiǎng Hànyǔ （大卫会讲汉语）

（2）朗读会话 Read aloud the conversation

A：Nǐ lěng ma?
B：Yǒu diǎnr lěng.
A：Gěi nǐ zhè jiàn máoyī.
B：Wǒ shìshi.
A：Bú dà yě bù xiǎo.
B：shì a.Xièxie.

四、阅读短文 Reading Passage

我跟大卫说好（shuō hǎo to arrange）星期天一起去买衣服。

星期天，我很早就起床了。我家离商店不太远。八点半坐车去，九点就到了。买东西的人很多。我在商店前边等大卫。等到九点半，大卫还没有来，我就先进去（xiān jìn qu to enter first）了。

那个商店很大，东西也很多。我想买毛衣，售货员说在二层，我就上楼了。

这儿的毛衣很好看，也很贵。有一件毛衣我穿不长也不短。我去交钱的时候，大卫来了。他说："坐车的人太多了，我来晚了，真对不起（duìbuqǐ to beg your pardon）。"我说："没什么。"我们就一起去看别的衣服了。

16

你看过京剧吗

HAVE YOU EVER SEEN A BEIJING OPERA

1 句子 Sentences

101	你 看过 京剧 吗？ Nǐ kànguo jīngjù ma?	Have you ever seen a Beijing opera?
102	我 没 看过 京剧。 Wǒ méi kànguo jīngjù.	I haven't seen a Beijing opera.
103	你 知道 哪儿 演 京剧 吗？ Nǐ zhīdào nǎr yǎn jīngjù ma?	Do you know where Beijing opera is put on?
104	你 买 到 票 以后 告诉 我。 Nǐ mǎi dào piào yǐhòu gàosu wǒ.	After you have bought the tickets, please let me know.
105	我 还 没 吃过 北京 烤鸭 呢！ Wǒ hái méi chīguo Běijīng kǎoyā ne!	I haven't had any Beijing roast duck yet.
106	我们 应该 去 尝 一 尝。 Wǒmen yīnggāi qù cháng yi cháng.	We should go and have a taste of it.
107	不 行。 Bù xíng.	No, I can't. (It is not possible.)
108	有 朋友 来 看 我。 Yǒu péngyou lái kàn wǒ.	A friend of mine will come to see me.

2 会话 Conversation

1

玛丽：你 看过 京剧 吗？
Mǎlì: Nǐ kànguo jīngjù ma?

大卫：没 看过。
Dàwèi: Méi kànguo.

玛丽：听 说 很 有意思。
Mǎlì: Tīng shuō hěn yǒu yìsi.

大卫：我 很 想 看，你 呢？
Dàwèi: Wǒ hěn xiǎng kàn, nǐ ne?

玛丽：我 也 很 想 看。你 知道 哪儿 演 吗？
Mǎlì: Wǒ yě hěn xiǎng kàn. Nǐ zhīdào nǎr yǎn ma?

大卫：人民 剧场 常 演。
Dàwèi: Rénmín Jùchǎng cháng yǎn.

玛丽：那 我们 星期六 去 看，好 不 好？
Mǎlì: Nà wǒmen xīngqīliù qù kàn, hǎo bu hǎo?

大卫：当然 好。明天 我 去 买 票。
Dàwèi: Dāngrán hǎo. Míngtiān wǒ qù mǎi piào.

玛丽：买 到 票 以后 告诉 我。
Mǎlì: Mǎi dào piào yǐhòu gàosu wǒ.

大卫：好。
Dàwèi: hǎo.

2. . .

和子：听说，烤鸭是北京的名菜。
Hézǐ: Tīng shuō, kǎoyā shì Běijīng de míng cài.

玛丽：我还没吃过呢！
Mǎlì: Wǒ hái méi chīguo ne!

和子：我们应该去尝一尝。
Hézǐ: Wǒmen yīnggāi qù cháng yi cháng.

玛丽：二十八号晚上我没事，你呢？
Mǎlì: Èrshíbā hào wǎnshang wǒ méi shì, nǐ ne?

和子：不行，有朋友来看我。
Hézǐ: Bù xíng, yǒu péngyou lái kàn wǒ.

玛丽：三十号晚上怎么样？
Mǎlì: Sānshí hào wǎnshang zěnmeyàng?

和子：可以。
Hézǐ: Kěyi.

3 替换与扩展 Substitution and Extension

替换

1. 你看过京剧吗？

去 长城	喝 那种茶
吃 那种菜	喝 这种酒
去 那个公园	问 价钱

2. 我们应该去尝一尝烤鸭。	看 京剧	问 老师
	听 音乐	找 他们

3. 买到票以后告诉我。	收 信	买 词典
	见 玛丽	买 咖啡

扩展

1. 玛丽，快 来， 有 人 找 你。
Mǎlì, kuài lái, yǒu rén zhǎo nǐ.

2. A：你 看 杂技 吗？
Nǐ kàn zájì ma?

B：不看。昨天 的 练习 我还 没做呢。
Bú kàn. Zuótiān de liànxí wǒ hái méi zuò ne.

4 生词 New Words

1 过	（助）	guo	(aspect particle)
2 京剧	（名）	jīngjù	Beijing opera
3 演	（动）	yǎn	to put on, to perform
4 以后	（名）	yǐhòu	later, afterwards
5 告诉	（动）	gàosu	to tell, to inform
6 烤鸭	（名）	kǎoyā	roast duck

7	应该	（能愿）	yīnggāi	ought to, should
8	行	（动、形）	xíng	it's OK
9	有意思		yǒu yìsi	interesting
10	当然	（副、形）	dāngrán	of course, certainly
11	名菜		míng cài	famous dish
12	事	（名）	shì	event
13	茶	（名）	chá	tea
14	菜	（名）	cài	dish
15	酒	（名）	jiǔ	wine
16	价钱	（名）	jiàqian	price
17	收	（动）	shōu	to receive
18	词典	（名）	cídiǎn	dictionary
19	咖啡	（名）	kāfēi	coffee
20	杂技	（名）	zájì	acrobatics
21	练习	（名、动）	liànxí	exercise; to exercise

专名 Proper Names

人民剧场	Rénmín Jùchǎng	people's Theatre

5 语 法 Grammar

1.动态助词“过” The aspect particle “过”

❶ 动态助词“过”在动词后，说明某种动作曾在过去发生。常用来强调有过这种经历。例如：

The aspect particle "过" is put after a verb to denote that an action has occurred. This particle is usually used to highlight that experience, e.g.

(1) 我去过长城。 (2) 我学过汉语。

(3) 我没吃过烤鸭。

② 它的正反疑问句是"……过……没有"。例如：

Its affirmative-negative question is in the form of "…过…没有", e.g.

(4) 你去过美国没有？ (5) 你看过那个电影没有？

③ 在连动句里要表示过去的经历，"过"一般放在第二个动词之后。例如：

To express a past experience with the sentence with verbal constructions in series,one normally puts "过" after the second verb,e.g.

(6) 我去那个饭店吃过饭。

2. 无主句 The sentence without a subject

绝大部分句子都由主语、谓语两部分组成。也有一些句子只有谓语没有主语，这种句子叫无主句。例如：

Most sentences are made up of two parts, the subject and the predicate. But there are a number of sentences that lack the subject. Such a sentence is called the sentence without a subject, e.g.

(1) 有人找你。 (2) 有人请你看电影。

3. "还没(有)……呢" The expression "还没(有)…呢"

表示一个动作现在还未发生或尚未完成。例如：

It denotes that an action has not taken place or completed up to now, e.g.

(1) 他还没(有)来呢。

(2) 这件事我还不知道呢。

(3) 我还没吃过烤鸭呢。

6 练 习 Exercises

① 用"了"或"过"完成句子 Complete the following sentences with "了" or "过"

(1) 听说中国的杂技很有意思，我还__________。
(2) 昨天我_________________。这个电影很好。
(3) 他不在，他去______________________。
(4) 你看______________吗？听说很好。
(5) 你__________________？这种酒不太好喝。

2 用“了”或“过”回答问题 Answer the following questions with “了” or “过”

(1) 你来过中国吗？来中国以后去过什么地方？
(2) 来中国以后你给家里打过电话吗？
(3) 昨天晚上你做什么了？你看电视了吗？
(4) 你常听录音吗？昨天听录音了没有？

3 判断正误 Judge whether the following statements are correct or not

(1) 我没找到那个本子。（　　）
　　我没找到那个本子了。（　　）
(2) 你看过没有京剧？（　　）
　　你看过京剧没有？（　　）
(3) 玛丽不去过那个书店。（　　）
　　玛丽没去过那个书店。（　　）
(4) 我还没吃过午饭呢。（　　）
　　我还没吃午饭呢。（　　）

4 把下列句子改成否定句 Change the following sentences into the negative forms

(1) 我找到那个本子了。
(2) 我看过京剧。
(3) 他学过这个汉字。
(4) 我吃过这种菜。
(5) 玛丽去过那个书店。

5 听述 Listen and retell

以前(yǐqián before)我没看过中国的杂技，昨天晚上我看了。中国杂技很有意思，以后我还想看。

我也没吃过中国菜。小王说他会做中国菜，星期六请我吃。

6 语音练习 Phonetic drills

(1) 读下列词语：第三声＋第三声 Read the following words: 3rd tone + 3rd tone

yǒuhǎo	友好	wǎn diǎn	晚点
yǔfǎ	语法	liǎojiě	了解
zhǎnlǎn	展览	hěn duǎn	很短
hǎishuǐ	海水	gǔdiǎn	古典
guǎngchǎng	广场	yǒngyuǎn	永远

(2) 常用音节练习 Drill on frequently used syllables

guo	guójì	国际	shang	shāngdiàn	商店
	shuǐguǒ	水果		xīnshǎng	欣赏
	guòqù	过去		Shànghǎi	上海
	chīguo	吃过		chē shang	车上

相约（二）
xiāngyuē

17

MAKING AN APPOINTMENT (2)

去动物园

GOING TO THE ZOO

1 句子 Sentences

109 这两天天气很好。①
Zhè liǎng tiān tiānqì hěn hǎo.
For the past two days, the weather has been fine.

110 我们出去玩儿玩儿吧。
Wǒmen chūqu wánr wánr ba.
Let's go for an outing.

111 去哪儿玩儿好呢？
Qù nǎr wánr hǎo ne?
Where shall we go for an outing?

112 去北海公园看看花儿，划划船。
Qù Běihǎi Gōngyuán kànkan huār, huáhua chuán.
Let's go to the Beihai Park to look at the flowers and go boating.

113 骑自行车去吧。
Qí zìxíngchē qù ba.
Let's go by bike.

114 今天天气多好啊！
Jīntiān tiānqì duō hǎo a!
What a fine day today!

115 他上午到还是下午到？
Tā shàngwǔ dào háishi xiàwǔ dào?
When will he arrive, in the morning or in the afternoon?

116 我跟你一起去。
Wǒ gēn nǐ yìqǐ qù.
I'll go with you.

2 会话 Conversation

1

张丽英：这两天天气很好。我们出去玩儿玩儿吧。
Zhāng Lìyīng: Zhè liǎng tiān tiānqì hěn hǎo. wǒmen chūqu wánr wánr ba.

和子：去哪儿玩儿好呢？
Hézǐ: Qù nǎr wánr hǎo ne?

张丽英：去北海公园，看看花儿，划划船，多好啊！
Zhāng Lìyīng: Qù Běihǎi Gōngyuán, kànkan huār, huáhua chuán, duō hǎo a!

和子：上星期我去过了，去别的地方吧。
Hézǐ: Shàng xīngqī wǒ qùguo le, qù biéde dìfang ba.

张丽英：去动物园怎么样？
Zhāng Lìyīng: Qù dòngwùyuán zěnmeyàng?

和子：行，还可以看看熊猫呢。
Hézǐ: Xíng, hái kěyǐ kànkan xióngmāo ne.

张丽英：我们怎么去？
Zhāng Lìyīng: wǒmen zěnme qù?

和子：骑自行车去吧。
Hézǐ: Qí zìxíngchē qù ba.

2 . . .

和子：你认识李成日吗？
Hézǐ: Nǐ rènshi Lǐ Chéngrì ma?

刘京：当然认识。去年他在这儿学过汉语。
Liú Jīng: Dāngrán rènshi. Qùnián tā zài zhèr xuéguo Hànyǔ.

和子：你知道吗？明天他来北京。
Hézǐ: Nǐ zhīdào ma? Míngtiān tā lái Běijīng.

刘京：不知道。他上午到还是下午到？
Liú Jīng: Bù zhīdào. Tā shàngwǔ dào háishi xiàwǔ dào?

和子：下午两点，我去机场接他。
Hézǐ: Xiàwǔ liǎng diǎn, wǒ qù jīchǎng jiē tā.

刘京：明天下午没有课，我跟你一起去。
Liú Jīng: Míngtiān xiàwǔ méiyǒu kè, wǒ gēn nǐ yìqǐ qù.

和子：好的。
Hézǐ: Hǎo de.

刘京：什么时候去？
Liú Jīng: Shénme shíhou qù?

和子：一点吧。
Hézǐ: Yī diǎn ba.

注释：Notes

① **"这两天天气很好。" The weather has been fine in the last two days.**

"这两天"是表示"最近"的意思。"两"在这里表示概数。

"这两天" means "recently". "两" here is only an approximate number.

3 替换与扩展 Substitution and Extension

替换

1. 这两天天气很好。	我没事	他很忙
	小王身体不好	他们有考试
	坐地铁的人很多	

2. 看看花，划划船，多好啊！	有意思	高兴

3. 他上午到还是下午到？	今天 明天	下星期 这个星期
	早上八点	晚上八点

扩展

1. A：玛丽在哪儿？
   Mǎlì zài nǎr?

   B：在楼上，你上去找她吧。
   Zài lóu shang, nǐ shàng qu zhǎo tā ba.

2. A：去动物园哪条路近？
   Qù dòngwùyuán nǎ tiáo lù jìn?

   B：这条路最近。
   Zhè tiáo lù zuì jìn.

4 生 词 New Words

1	天气	(名)	tiānqì	weather
2	出	(动)	chū	to go out
3	划	(动)	huá	to row
4	船	(名)	chuán	boat
5	骑	(动)	qí	to ride
6	自行车	(名)	zìxíngchē	bicycle
7	啊	(助)	a	(modal particle)
8	还是	(连)	háishi	or
9	跟	(介)	gēn	and,with
10	上	(名)	shàng	on, above, over; last
11	动物园	(名)	dòngwùyuán	zoo
12	熊猫	(名)	xióngmāo	panda
13	去年	(名)	qùnián	last year
14	学	(动)	xué	to study
15	机场	(名)	jīchǎng	airport
16	接	(动)	jiē	to meet
17	考试	(动、名)	kǎoshì	to give or take an examination; examination
18	地铁	(名)	dìtiě	subway
19	下	(名)	xià	under, below; next

20 条	（量）	tiáo	(measure word)
21 最	（副）	zuì	most

专名 Proper Names

1 北海公园	Běihǎi Gōngyuán	the Beihai Park
2 李成日	Lǐ Chéngrì	(a person's name)

5 语 法 Grammar

1.选择疑问句 The alternative question

用连词"还是"连接两种可能的答案，由回答的人选择其一，这种疑问句叫选择疑问句。例如：

A question with two possible answers joined by the conjunction "还是" for the replier to choose from is called the alternative question, e.g.

(1) 你上午去还是下午去？
(2) 你喝咖啡还是喝茶？
(3) 你一个人去还是跟朋友一起去？

2. 表示动作方式的连动句 The sentence with verbal constructions in series showing the manner of an action

这种连动句中前一个动词或动词短语表示动作的方式。如"用汉语介绍"、"坐车去机场"、"骑自行车去"等等。

In a sentence with verbal constructions in series, the first verb or verb phrase shows the manner of an action, e.g. "用汉语介绍", "坐车去机场", "骑自行车去", and so on.

3.趋向补语（1） The directional complement (1)

一些动词后边常用"来"、"去"作补语，表示动作的趋向，这种补语叫趋向补语。动作如果向着说话人的就用"来"，与之相反的就用"去"。例如：

"来" or "去" is often used after a number of verbs as a complement to show the direction of an action and is known as a directional complement. If the action is in the direction towards the speaker, "来" is used; however, if the opposite is the case, "去" is used, e.g.

(1) 上课了，快进来吧。(说话人在里边)

(2) 他不在家，出去了。(说话人在家里)

(3) 玛丽，快下来!(说话人在楼下，玛丽在楼上。)

6 练习 Exercises

1 给下面的词配上适当宾语并造句 Match the following words with proper objects and make sentences with each of them

坐________ 划________ 骑________ 演________

拿________ 换________ 穿________ 打________

2 根据所给的内容用"还是"提问 Raise questions with "还是" on the basis of the given content

例：六点半起床　七点起床　→　你六点半起床还是七点起床？

(1)	去北海公园	去动物园
(2)	看电影	看杂技
(3)	坐汽车去	骑自行车去
(4)	你去机场	他去机场
(5)	今年回国	明年回国

3 看图说话（用上趋向动词"来""去"） Look at the pictures and talk about them (using the directional complement" 来 "、"去")

(1)

大卫说："你________吧。"
玛丽说："你________吧。"

(2)

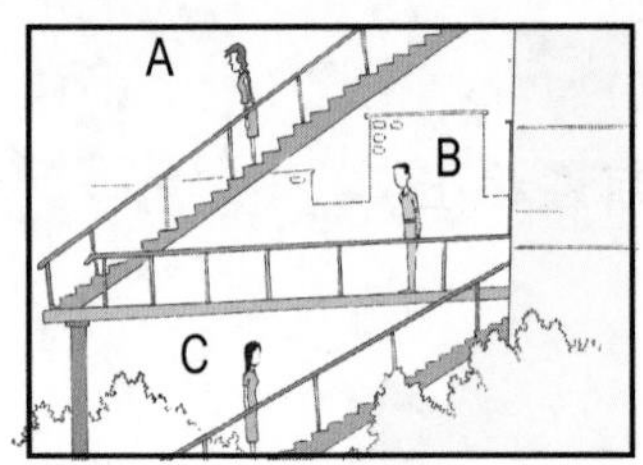

A：________________。
B：________________。
C：________________。

4 听述 Listen and retell

王兰告诉我，离我们学校不远有一个果园(guǒyuán orchard)。那个果园有很多水果(shuǐguǒ fruit)，可以看，可以吃，也可以买。我们应该去看看。

我们想星期日去。我们骑自行车去。

5 语音练习 Phonetic drills

(1) 读下列词语：第三声+第四声 Read the following words: 3rd tone+4th tone

gǎnxiè	感谢	kǎoshì	考试
yǒuyì	友谊	wǎnfàn	晚饭
qǐng zuò	请坐	zěnyàng	怎样
mǎlù	马路	fǎngwèn	访问
mǎidào	买到	yǒu shì	有事

(2) 常用音节练习 Drill on frequently used syllables

	chàng gē	唱歌		rénmín	人民
ge	gǎigé	改革	ren	rěnràng	忍让
	liǎng ge	两个		rènzhēn	认真

18

路上辛苦了

DID YOU HAVE A TIRING TRIP

1 句子 Sentences

117 从 东京 来 的 飞机 到 了 吗？
Cóng Dōngjīng lái de fēijī dào le ma?
Has the plane from Tokyo arrived?

118 飞机 晚 点 了。
Fēijī wǎn diǎn le.
The plane is behind schedule.

119 飞机 快 要 起飞 了。
Fēijī kuài yào qǐfēi le.
The plane is about to take off.

120 飞机 大概 三 点 半 能 到。
Fēijī dàgài sān diǎn bàn néng dào.
The plane may arrive around 3:30.

121 我们 先 去 喝 点儿 水，一会儿 再 来 这儿 吧。
Wǒmen xiān qù hē diǎnr shuǐ, yíhuìr zài lái zhèr ba.
Let's have a drink first and come back here later.

122 路 上 辛苦 了。
Lù shang xīnkǔ le.
Did you have a tiring trip?

123 你 怎么 知道 我 要 来？
Nǐ zěnme zhīdào wǒ yào lái?
How did you know I would come?

124 是 和子 告诉 我 的。
Shì Hézǐ gàosu wǒ de.
Hezi told me about that.

2 会话 Conversation

1

和子：从 东京 来的飞机 到 了 吗？
Hézǐ：Cóng Dōngjīng lái de fēijī dào le ma?

服务员：还 没 到。
fúwùyuán：Hái méi dào.

和子：为什么？
Hézǐ：Wèishénme?

服务员：晚 点 了。飞机 现在 在 上海。
fúwùyuán：Wǎn diǎn le. Fēijī xiànzài zài Shànghǎi.

和子：起飞 了 吗？
Hézǐ：Qǐfēi le ma?

服务员：快 要 起飞 了。
fúwùyuán：Kuài yào qǐfēi le.

和子：什么 时候 能 到？
Hézǐ：Shénme shíhou néng dào?

服务员：大概 三 点 半 能 到。
fúwùyuán：Dàgài sān diǎn bàn néng dào.

和子：刘京，我们 先去喝 点儿 水，一会儿
Hézǐ：Liú Jīng, wǒmen xiān qù hē diǎnr shuǐ, yíhùr

再来这儿吧。
zài lái zhèr ba.

2 . . .

和子：你看，李成日 来了。
Hézǐ：Nǐ kàn, Lǐ Chéngrì lái le.

刘京：你好！路上 辛苦了。
Liú Jīng：Nǐ hǎo! Lù shang xīnkǔ le.

李成日：你们 好！刘京，你 怎么 知道 我 要 来？
Lǐ Chéngrì：Nǐmen hǎo! Liú Jīng, nǐ zěnme zhīdào wǒ yào lái?

刘京：是 和子 告诉 我 的。
Liú Jīng：Shì Hézǐ gàosu wǒ de.

李成日：感谢 你们 来接我。
Lǐ Chéngrì：Gǎngxiè nǐmen lái jiē wǒ.

和子：我们 出去 吧！
Hézǐ：Wǒmen chūqu ba!

李成日：等 一 等，还有 贸易
Lǐ Chéngrì：Děng yi děng, hái yǒu màoyì

公司 的 人 接我呢。
gōngsī de rén jiē wǒ ne.

刘京：好，我们 在这儿 等 你。
Liú Jīng：Hǎo, wǒmen zài zhèr děng nǐ.

3 替换与扩展 Substitution and Extension

替换

1. 快要起飞了。

上课	考试	开车	毕业

2. 我们先去喝点儿水，一会儿再来这儿吧。

换	钱	买东西
吃	东西	照相
喝	啤酒	看电影

3. 是和子告诉我的。

刘京	王兰
玛丽	大卫

扩展

1. A：他是怎么来的？
   Tā shì zěnme lái de?

   B：他（是）坐出租汽车来的。
   Tā (shì) zuò chūzū qìchē lái de.

2. 火车要开了，快上去吧。
   Huǒchē yào kāi le, kuài shàng qu ba.

4 生词 New Words

1 从	（介）	cóng	from
2 飞机	（名）	fēijī	airplane
3 晚点		wǎn diǎn	late,behind schedule
4 要…了		yào…le	be about to,to be going to
5 起飞	（动）	qǐfēi	to take off
6 大概	（副）	dàgài	around,about
7 先	（副）	xiān	first
8 水	（名）	shuǐ	water
9 辛苦	（形）	xīnkǔ	tiring
10 服务员	（名）	fúwùyuán	assistant,attendant
11 为什么	（代）	wèishénme	why
12 一会儿	（名）	yíhuìr	minute
13 感谢	（动）	gǎnxiè	to thank
14 贸易	（名）	màoyì	trade
15 公司	（名）	gōngsī	company
16 毕业		bì yè	to graduate
17 啤酒	（名）	píjiǔ	beer
18 出租汽车		chūzū qìchē	taxi
19 开	（动）	kāi	to drive
20 火车	（名）	huǒchē	train

5 语 法 Grammar

1. "要……了" The expression "要…了"

1 "要……了"句式表示一个动作或情况很快就要发生。副词"要"表示将要，放在动词或形容词前，句尾加语气助词"了"。在"要"前还可加上"就"或"快"，表示时间紧迫。例如：

The construction "要…了" indicates that an action or a state of affairs is about to happen. The adverb "要", which means that something is going to happen in the immediate future, is put before a verb or an adjective, while the modal particle "了" is placed at the end of the sentence. One may put "就" or "快" before "要" to stress urgency, e.g.

(1) 火车要开了。　　(2) 快要到北京了。

(3) 他就要来了。

2 "就要……了"前边可以加时间状语，"快要……了"不行。例如："他明天就要走了"，不能说"他明天快要走了"。

One may put an adverbial of time before "就要…了", but not before "快要…了", e.g. "他明天就要走了" is correct, but "他明天快要走了" is not.

2. "是……的" The expression "是…的"

1 "是……的"句用来强调说明已经发生的动作的时间、地点、方式等。"是"放在被强调说明的部分之前，有时可以省略。"的"放在句尾。

The sentence with the "是…的" construction is used to stress when, where or how the action occurred in the past. "是" may be put before the stressed part or sometimes omitted, with "的" at the end of the sentence.

(1) 他(是)昨天来的。　　(2) 你(是)在哪儿买的？

(3) 我(是)坐飞机来的。

2 "是……的"句有时也可强调动作的施事。例如：

The sentence with the "是…的" construction may be used sometimes to highlight the agent of an action, e.g.

(4) (是)她告诉我的。

6 练　习 Exercises

1 用“要……了”或“快要……了”、“就要……了”改写句子 Rewite the following sentences with “要…了”,“快要…了” or “就要…了”

> **例**：现在是十月，你应该买毛衣了。→
> 天气(快)要冷了，你应该买毛衣了。

(1) 八点上课，现在七点五十了，我们快走吧。
(2) 你再等等，他很快就来。
(3) 李成日明天回国，我们去看看他吧。
(4) 饭很快就做好，你们在这儿吃饭吧。

2 用“(是)……的”完成对话 Complete the following coversations with “(是)…的”

(1) A：这种橘子真好吃，____________________？
B：是在旁边的商店__________。

(2) A：你给玛丽打电话了吗？
B：打了。我是昨天晚上__________。
A：她知道开车的时间了吗？
B：她昨天上午就知道了。
A：____________________？
B：是刘京告诉她的。

3 按照实际情况回答问题 Answer the questions according to actual situations

(1) 你从哪儿来的？你是怎么来的？
(2) 你为什么来中国？

4 听述 Listen and retell

我从法国来，我是坐飞机来的。我在北京语言大学学习汉语。在法国我没学过汉语，我不会说汉语，也不会写汉字。现在我会说一点儿了，我很高兴。我应该感谢我们的老师。

5 语音练习 Phonetic drills

（1）读下列词语：第三声+轻声 Read aloud the following words：3rd tone+neutral tone

zěnme	怎么	wǎnshang	晚上
xǐhuan	喜欢	jiǎozi	饺子
zǎoshang	早上	sǎngzi	嗓子
jiějie	姐姐	nǎinai	奶奶
shǒu shang	手上	běnzi	本子

（2）常用音节练习 Drill on frequently used syllables

he	hē jiǔ	喝酒	wei	wēixiǎn	危险
	hépíng	和平		zhōuwéi	周围
	zhùhè	祝贺		wěidà	伟大
	suíhe	随和		wèishénme	为什么

19 迎接（二）
yíngjiē
WELCOME (2)

欢迎你
YOU ARE WELCOME

1 句子 Sentences

125	别 客气。 Bié kèqi.	Not at all.
126	一点儿 也 不 累。 Yìdiǎnr yě bú lèi.	Not tired at all.
127	您 第一 次 来 中国 吗？ Nín dì-yī cì lái Zhōngguó ma?	Is this your first visit to China?
128	我 以前 来过（中国） 两 次。 Wǒ yǐqián láiguo (Zhōngguó) liǎng cì.	I have been to China twice.
129	这 是 我们 经理 给 您 的 信。 Zhè shì wǒmen jīnglǐ gěi nín de xìn.	Here is a letter for you from our manager.
130	他 问 您 好。 Tā wèn nín hǎo.	He sent his regards to you.
131	我们 在 北京 饭店 请 您 吃 晚饭。 Wǒmen zài Běijīng Fàndiàn qǐng nín chī wǎnfàn.	We invite you to dinner at Beijing Hotel this evening.

132 我 从 朋友 那儿 去 饭店。 I'll go to the hotel from my friends' place.
Wǒ cóng péngyou nàr qù fàndiàn.

2 会话 Conversation

1

王: 您好！李先生。 我是王大年，公司的翻译。
Wáng: Nín hǎo! Lǐ xiānsheng. Wǒ shì Wáng Dànián, gōngsī de fānyì.

李: 谢谢您来接我。
Lǐ: Xièxie nín lái jiē wǒ.

王: 别客气，路上辛苦了。
Wáng: Bié kèqi, lù shang xīnkǔ le.

李: 一点儿也不累，很顺利。
Lǐ: Yìdiǎnr yě bú lèi, hěn shùnlì.

王: 汽车在外边，我们送您去饭店。
Wáng: Qìchē zài wàibiān, wǒmen sòng nín qù fàndiàn.

李: 我还有两个朋友。
Lǐ: Wǒ hái yǒu liǎng ge péngyou.

王: 那一起走吧。
Wáng: Nà yìqǐ zǒu ba.

李: 谢谢！
Lǐ: Xièxie!

2...

经理：欢迎　您！李 先生。
jīnglǐ：Huānyíng nín! Lǐ xiānsheng.

李：谢谢！
Lǐ：Xièxie!

经理：您 第一次 来　中国　吗？
jīnglǐ：Nín dì-yī cì lái Zhōngguó ma?

李：不，我 以前 来过 两 次。这 是 我们 经理 给 您 的 信。
Lǐ：Bù，wǒ yǐqián láiguo liǎng cì. Zhè shì wǒmen jīnglǐ gěi nín de xìn.

经理：麻烦 您 了。
jīnglǐ：Máfan nín le.

李：他 问 您 好。
Lǐ：Tā wèn nín hǎo.

经理：谢谢。今天 我们 在 北京 饭店 请 您 吃 晚饭。
jīnglǐ：Xièxie. Jīntiān wǒmen zài Běijīng Fàndiàn qǐng nín chī wǎnfàn.

李：您 太 客气了，真 不 好 意思。
Lǐ：Nín tài kèqi le, zhēn bù hǎo yìsi.

经理：您 有 时间 吗？
jīnglǐ：Nín yǒu shíjiān ma?

李：下午 我 去 朋友 那儿。晚上 没 事。
Lǐ: Xiàwǔ wǒ qù péngyou nàr. Wǎnshang méi shì.

经理：我们 去 接 您。
jīnglǐ: Wǒmen qù jiē nín.

李：不用 了，我 可以 打的 从 朋友 那儿 去。
Lǐ: Búyòng le, wǒ kěyǐ dǎ dī cóng péngyou nàr qù.

3 替换与扩展 Substitution and Extension

替换

1.一点儿也不累。	一点儿 不热	一点儿 不慢
	一样东西 没买	一分钟 没休息

2.这是我们经理 给您的信。	我姐姐	给我	笔
	他哥哥	送你	花
	我朋友	给我	纪念邮票

3.您第一次来中国吗？——不，我以前来过两次。	吃烤鸭 吃	去长城 去
	看京剧 看	来我们学校 来

扩展

1. 这 次 我 来 北京 很 顺利。
Zhè cì wǒ lái Běijīng hěn shùnlì.

2. 我 寄 给 你 的 信 收 到 了 吗?
Wǒ jì gěi nǐ de xìn shōu dào le ma?

3. 我 来 中国 的 时候 一句 汉语 也 不 会 说。
Wǒ lái Zhōngguó de shíhou yí jù Hànyǔ yě bú huì shuō.

4 生 词 New Words

1 别	(副)	bié	do not..., not to
2 客气	(形)	kèqi	polite
3 第	(头)	dì	(used to form ordinal numbers)
4 次	(量)	cì	occurence, time
5 经理	(名)	jīnglǐ	manager
6 先生	(名)	xiānsheng	mister
7 翻译	(名、动)	fānyì	translation; to translate
8 顺利	(形)	shùnlì	without a hitch
9 外边	(名)	wàibian	outside
10 送	(动)	sòng	to send
11 以前	(名)	yǐqián	before
12 麻烦	(动、形、名)	máfan	troublesome; to bother; trouble

13 不好意思		bù hǎo yìsi	embarrassed
14 不用	（副）	búyòng	don't bother
15 打的		dǎ dī	go by taxi; take a taxi
16 热	（形）	rè	hot, warm
17 分钟	（名）	fēnzhōng	minute
18 慢	（形）	màn	slow
19 笔	（名）	bǐ	pen
20 寄	（动）	jì	to mail
21 句	（量）	jù	sentence

5 语 法 Grammar

1.“从”、“在”的宾语与“这儿”、“那儿” The objects of “从” and “在” with “这儿” and “那儿”

“从”、“在”的宾语如果是一个指人的名词或代词，必须在它后边加“这儿”或“那儿”，才能表示处所。例如：

If the object of “从” or “在” is a noun or pronoun indicating a person, it is necessary to add “这儿” or “那儿” after it to indicate place, e.g.

(1) 他从我这儿去书店。

(2) 我从张大夫那儿来。

(3) 我妹妹在玛丽那儿玩儿。

(4) 我的笔在他那儿。

2. 动量补语 The complement of frequency

① 动量词和数词结合，放在动词后边，说明动作发生的次数，构成动量补语。例如：

A complement of frequency, which denotes the number of times an action takes place, is formed by putting after a verb a compound consisting of a numeral and a measure word for action, e.g.

(1) 他来过一次。

(2) 我找过他两次，他都不在。

❷ “一下儿”作动量补语，除了可以表示动作的次数外，也可以表示动作经历的时间短暂，并带有轻松随便的意味。例如：

“一下儿” as a complement of frequency denotes not only the frequency of an action, but also the short duration of that action. Moreover, it usually carries a casual undertone, e.g.

(3) 给你们介绍一下儿。

(4) 你帮我拿一下儿。

3. 动词、动词短语、主谓短语等作定语 A verb, verb phrase or subject-predicate phrase as an attributive

动词、动词短语、主谓短语、介词短语作定语时，必须加“的”。例如：

A verb, verb phrase, subject-object phrase or prepositional phrase, if used as an attributive, must take “的”. e.g.

(1) 来的人很多。

(2) 学习汉语的学生不少。

(3) 这是经理给您的信。

(4) 从东京来的飞机下午到。

6 练习 Exercises

❶ 用下列动词造句 Make sentences with the following verbs

接　送　给　收　换

❷ 给词语选择适当的位置（有的在A在B都行）Insert the given words into the following sentences at suitable places(some at either A or B)

(1) 我坐过A11路汽车B。（两次）

(2) 她去过A上海B。(三次)
(3) 动物园我A去过B。(两次)
(4) 我哥哥的孩子吃过A烤鸭B。(一次)
(5) 你帮我A拿B。(一下儿)

3 用"一……也……"改写句子 Rewrite the following sentences with "一…也"

例：我没休息。(天) → 我一天也没休息。

(1) 今天我没喝啤酒。(瓶)
(2) 我没去过动物园。(次)
(3) 在北京他没骑过自行车。(次)
(4) 今天我没带钱。(分)
(5) 他不认识汉字。(个)

4 按照实际情况回答问题 Answer the questions according to actual situations

(1) 你来过中国吗？现在是第几次来？
(2) 这本书有多少课？这是第几课？
(3) 你一天上几节(jié period)课？ 现在是第几节课？
(4) 你们宿舍楼有几层？你住在几层？

5 根据情景会话 Situational Dialogues

(1) 去机场接朋友
提示：问候路上怎么样；告诉他现在去哪儿；这几天做什么等。
To meet a friend at the airport
Suggested points: Ask about the trip; Tell him where to go now and what to do in the next few days.

(2) 去火车站接朋友，火车晚点了

提示：问为什么还没到，什么时候能到等。

On arriving at the station to meet a friend, one finds that the train is late.

Suggested points: Ask why it is late and when it will arrive.

6 听述 Listen and retell

上星期五我去大同(Dàtóng Datong)了，我是坐火车去的，今天早上回来的。我第一次去大同，我很喜欢这个地方。

从北京到大同很近，坐火车去大概要七个小时(xiǎoshí hour)。现在去，不冷也不热。下星期你也去吧。

7 语音练习 Phonetic drills

(1) 读下列词语：第四声+第一声 Read aloud the following words: 4th tone+1st tone

qìchē	汽车	lùyīn	录音
dàyī	大衣	chàng gē	唱歌
diàndēng	电灯	dàjiā	大家
hùxiāng	互相	hòutiān	后天

(2) 常用音节练习 Drill on frequently used syllables

ye	yēzi	椰子	qian	qiānwàn	千万
	yéye	爷爷		qiánbian	前边
	yuányě	原野		qiǎnxiǎn	浅显
	shùyè	树叶		dàoqiàn	道歉

20 为我们的友谊干杯

LET'S HAVE A TOAST TO OUR FRIENDSHIP

1 句子 Sentences

133 请 这儿 坐。
Qǐng zhèr zuò.
Please take a seat here.

134 我 过 得很 愉快。
Wǒ guò de hěn yúkuài.
I really had a good time.

135 您 喜欢 喝 什么 酒?
Nín xǐhuan hē shénme jiǔ?
What would you like to drink?

136 为 我们 的 友谊 干 杯![①]
Wèi wǒmen de yǒuyì gān bēi!
Let's have a toast to our friendship!

137 这 个 鱼 做 得 真 好吃。
Zhè ge yú zuò de zhēn hǎochī.
The fish is very delicious.

138 你们 别 客气, 像 在 家 一样。
Nǐmen bié kèqi, xiàng zài jiā yíyàng.
Please make yourself at home.

139 我 做 菜 做 得不 好。
Wǒ zuò cài zuò de bù hǎo.
I am not good at cooking.

140 你们 慢 吃。[②]
Nǐmen màn chī.
Take your time (eating).

2 会话 Conversation

1 . . .

翻译：李先生，请这儿坐。
fānyì: Lǐ xiānsheng, qǐng zhèr zuò.

李：谢谢！
Lǐ: Xièxie!

经理：这两天过得怎么样？
jīnglǐ: Zhè liǎng tiān guò de zěnmeyàng?

李：过得很愉快。
Lǐ: Guò de hěn yúkuài.

翻译：您喜欢喝什么酒？
fānyì: Nín xǐhuan hē shénme jiǔ?

李：啤酒吧。
Lǐ: Píjiǔ ba.

经理：您尝尝这个菜怎么样？
jīnglǐ: Nín chángchang zhè ge cài zěnmeyàng?

李：很好吃。
Lǐ: Hěn hǎochī.

经理：吃啊，别客气。
jīnglǐ: Chī a, bié kèqi.

李：不客气。
Lǐ: Bú kèqi.

经理：来，为 我们 的 友谊 干杯！
jīnglǐ：Lái, wèi wǒmen de yǒuyì gān bēi!

李：为 大家的 健康 干杯！
lǐ：Wèi dàjiā de jiànkāng gān bēi!

翻译：干杯！
fānyì：Gān bēi!

2 . . .

刘京：我们 先 喝 酒 吧。
Liú Jīng：Wǒmen xiān hē jiǔ bā.

李成日：这 个 鱼 做 得 真 好吃。
Lǐ Chéngrì：Zhè ge yú zuò de zhēn hǎochī.

刘京妈妈：你们 别 客气，像 在 家 一样。
Liú Jīng māma：Nǐmen bié kèqi, xiàng zài jiā yíyàng.

李成日：我们 不 客气。
Lǐ Chéngrì：Wǒmen bú kèqi.

刘京妈妈：吃 饺子 吧。
Liú Jīng māma：Chī jiǎozi ba.

和子：我 最 喜欢 吃 饺子 了。
Hézǐ：Wǒ zuì xǐhuan chī jiǎozi le.

刘京：听说你很会做日本菜。
Liú Jīng: Tīng shuō nǐ hěn huì zuò Rìběn cài.

和子：哪儿啊③，我做得不好。
Hézǐ: Nǎr a, wǒ zuò de bù hǎo.

刘京：你怎么不吃了？
Liú Jīng: Nǐ zěnme bù chī le?

和子：吃饱了。你们慢吃。
Hézǐ: Chī bǎo le. Nǐmen màn chī.

注释：Notes

① **“为我们的友谊干杯！” Let's have a toast to our friendship!**

介词“为”用来说明动作的目的，必须放在动词前边。

The preposition “为” should be put before a verb to indicate the purpose of an action.

② **“你们慢吃” Take your time**

这是客套话。自己吃饱而别人还未吃完，就说“慢吃”。

As a polite expression, it is used when one has finished eating while others have not.

③ **“哪儿啊”**

这里的“哪儿”表示否定的意思。常用来回答别人的夸奖。表示自己没有对方说得那么好。

“哪儿” is a polite denial here. When used as a reply, it usually denotes that one is not worthy of the praise.

3 替换与扩展 Substitution and Extension

替换

1. 我 过得很愉快。	我们	生活	好
	他	说	快
	张先生	休息	不错
	大卫	睡	晚

2. 这个鱼 做得真好吃。	衣服(件)	洗	干净
	照片(张)	照	好
	汽车(辆)	开	快

3. 我做菜做得不好。	做	饺子	好吃
	写	汉字	好看
	翻译	生词	快

扩展

1. 他汉语说得真好，像中国人一样。
Tā Hànyǔ shuō de zhēn hǎo, xiàng Zhōngguórén yíyàng.

2. 你说得太快，我没听懂，请你说得慢一点儿。
Nǐ shuō de tài kuài, wǒ méi tīng dǒng, qǐng nǐ shuō de màn yìdiǎnr.

4 生 词 New Words

1 过	（动）	guò	to spend, to pass
2 得	（助）	de	(structural particle)
3 愉快	（形）	yúkuài	enjoyable, happy
4 喜欢	（动）	xǐhuan	to like, to enjoy
5 为…干杯		wèi…gān bēi	to have a toast to
6 友谊	（名）	yǒuyì	friendship
7 鱼	（名）	yú	fish
8 好吃	（形）	hǎochī	delicious
9 像	（动）	xiàng	to resemble
10 一样	（形）	yíyàng	same, similar
11 大家	（名）	dàjiā	everybody, everyone
12 健康	（形）	jiànkāng	healthy, in good heath
13 饺子	（名）	jiǎozi	dumpling
14 饱	（形）	bǎo	to eat one's fill, to be full
15 生活	（动、名）	shēnghuó	to live, to lead a life; life
16 睡	（动）	shuì	to sleep
17 晚	（形）	wǎn	late
18 洗	（动）	xǐ	to wash
19 干净	（形）	gānjìng	clean
20 照片	（名）	zhàopiàn	photo

21 照	（动）	zhào	to take a photo
22 辆	（量）	liàng	(a measure word for vehicles)

5 语法 Grammar

1.程度补语 The complement of degree

❶ 说明动作或事物性质所达到的程度的补语，叫程度补语。简单的程度补语，一般由形容词充任。动词和程度补语之间要用结构助词“得”来连接。

A complement that denotes the extent to which an action or a state reaches is called the complement of degree. A simple complement of degree is usually made up of an adjective. The verb and its complement are connected by the structural particle “得”.

(1) 我们休息得很好。
(2) 玛丽、大卫他们玩儿得很愉快。

❷ 程度补语的否定式是在程度补语的前边加否定副词“不”。注意：“不”不能放在动词的前边。例如：

Its negative form is realized by putting the negative adverb “不” in front of the complement. Take care not to put “不” before the verb, e.g.

(3) 他来得不早。
(4) 他生活得不太好。

❸ 带程度补语的正反疑问句是并列程度补语的肯定形式和否定形式。例如：

An affirmative-negative question with a complement of degree is realized by juxtaposing the affirmative and negative forms of the complement of degree, e.g.

(5) 你休息得好不好？
(6) 这个鱼做得好吃不好吃？

2.程度补语与宾语 The complement of degree and the object

动词后边如带宾语，再有程度补语时，必须在宾语之后，“得”和程度补语之前，重复动词。例如：

If a complement of degree follows a verb-object construction, the same verb should be repeated after the object and followed by “得” and the complement of degree, e.g.

(1) 他说汉语说得很好。 (2) 她做饭做得很不错。
(3) 我写汉字写得不太好。

6 练 习 Exercises

1 熟读下列短语并选五个造句 Read until fluent the following phrases and choose five of them to make sentences

起得很早	走得很快	玩儿得很高兴
生活得很愉快	穿得很多	演得好极了
休息得不太好	来得不晚	写得不太慢

2 用程度补语完成句子 Complete the following sentences with the complement of degree

(1) 他洗衣服________________。
(2) 我姐姐做鱼________________。
(3) 小王开汽车________________。
(4) 他划船________________。

3 完成对话(注意用上带“得”的程度补语) Complete the dialogues (Be sure to use complements of degree with “得”)

(1) A：你喜欢吃鱼吗?这鱼做________________?
B：________________很好吃。

(2) A：今天的京剧演________________?
B：________________很好。

(3) A：昨天晚上你几点睡的?
B：十二点。
A：________________。你早上起得也很晚吧?
B：不，________________。

4 用"在"、"给"、"得"、"像……一样"、"跟……一起"填空 Fill in the blanks with "在","给","得","像…一样" or "跟…一起"

王兰、和子都______语言大学学习，她们是好朋友，______姐姐、妹妹______。上星期我______她们______去北海公园玩儿，我______她们照相，照得很多，都照______很好。那天我们玩儿______很愉快。

5 谈谈你的一天(用上带"得"的程度补语) Talk about a day in your life (Use complements of degree with "得")

提示：(1) 你什么时候起床？什么时候去教室？什么时候睡觉？早还是晚？

(2) 在这儿学汉语，你学得怎么样？生活得愉快不愉快？

Suggested points: (1) When do you get up? When do you go to the classroom? When do you go to bed? Do you go to bed early or late?

(2) How are you getting on with your study of Chinese? Do you enjoy your life here?

6 听述 Listen and retell

昨天我和几个小朋友(xiǎopéngyǒu, little friend)去划船了。孩子们(men used after a personal pronoun or a noun to form a plural)很喜欢划船，他们划得很好。我坐在船上高兴极了，也像孩子一样玩儿。这一天过得真有意思。

7 语音练习 Phonetic drills

(1) 读下列词语：第四声+第二声 Read the following phrases: 4th tone+2nd tone

bù lái	不来	liànxí	练习
qùnián	去年	fùxí	复习
rìchéng	日程	wèntí	问题
xìngmíng	姓名	gào bié	告别
sòng xíng	送行	kètáng	课堂

（2）常用音节练习 Drill on frequently used syllables

	gōngrén	工人		jiūjìng	究竟
gong	gǒnggù	巩固	jiu	hǎojiǔ	好久
	yígòng	一共		chéngjiù	成就

复习(四)

Review (IV)

一、会话 Conversation

〔约翰(Yuēhàn John) 的中国朋友今天从北京来,约翰到机场去接他。〕

约翰：啊，小王，路上辛苦了！

王：不太累。谢谢你来接我。

约翰：别客气。我收到你的信，知道你要来旧金山（Jiùjīnshān San Francisco），我高兴极了。

王：我很高兴能见到(jiàn dào to see)老(lǎo old)朋友。刘小华（Liú Xiǎohuá Liu Xiaohua)、珍妮(Zhēnní Jane) 他们都好吗？

约翰：都很好。他们很忙,今天没时间来接你。

王：我们都是老朋友了,不用客气。

约翰：为了欢迎你来,星期六我们请你在中国饭店吃饭。

王：谢谢,给你们添(tiān to give)麻烦了。

〔在中国饭店〕

珍妮：小王怎么还没来？

刘：还没到时间。

珍妮：他第一次来旧金山,能找到这儿吗？

约翰：这个饭店很有名,能找到。

刘：啊,你们看,小王来了！

约翰：小王,快来！这儿坐。

珍妮：三年没见(jiàn meet)，你跟以前一样。

王：是吗？

珍妮：这是菜单(càidān menu)，小王，你想吃什么？

约翰：我知道,他喜欢吃糖醋鱼(tángcùyú sweet and sour fish)，还有……

王：你们太客气了,我真不好意思。

刘：我们先喝酒吧。

约翰：
珍妮：来,为我们的友谊干杯！

刘：
王：干杯！

二、语法 Grammar

(一)根据谓语的主要成分的不同，可把句子分为四种类型 Sentences may be divided into four types according to the main elements of their predicates

1 名词谓语句 The sentence with a nominal predicate

由名词或名词结构、数量词等直接作谓语的句子叫名词谓语句。例如：

A sentence is called a sentence with a nominal predicate if a noun (noun phrase) or a compound consisting of a numeral and a measure word serves as the predicate of the sentence, e.g.

(1) 今天星期六。　(2) 他今年二十岁。
(3) 现在两点钟。　(4) 这本书十八块五。

2 动词谓语句 The sentence with a verbal predicate

谓语的主要成分是动词的句子叫动词谓语句。例如：

A sentence is called a sentence with a verbal predicate if the verb is the main element of the predicate, e.g.

(1) 我写汉字。　(2) 他想学习汉语。
(3) 他来中国旅行。　(4) 玛丽和大卫去看电影。

3 形容词谓语句 The sentence with an adjectival predicate

用来对人或事物的状态加以描写，有时也说明事物的变化。例如：

A sentence of this type describes the state which a person or thing is in, and sometimes the change of a thing, e.g.

(1) 天气热了。　(2) 张老师很忙。　(3) 这本汉语书很便宜。

4 主谓谓语句 The sentence with a subject-predicate construction as its predicate

主谓谓语句中的谓语本身也是一个主谓短语，主要是说明或者描写主语的。例如：

In a sentence of this type, the predicate itself is a subject-predicate phrase,mainly explaining or describing the subject, e.g.

(1) 我爸爸身体很好。　(2) 他工作很忙。　(3) 今天天气很不错。

(二)提问的六种方法 Six types of interrogative sentences

①用"吗"的疑问句 The question with "吗"

这是最常用的提问方法，对可能的回答不作预先估计。例如：

This is the most frequently used way of asking a question, to which the answer is rather unpredictable, e.g.

(1) 你是学生吗？ (2) 你喜欢看中国电影吗？ (3) 你有纪念邮票吗？

②正反疑问句 The affirmative-negative question

并列肯定形式和否定形式提问。例如：

This is an interrogative sentence made by juxaposing the affirmative and the negative forms of the main element of the predicate, e.g.

(1) 你认识不认识他？ (2) 你们学校大不大？

(3) 你有没有弟弟？ (4) 明天你去不去长城？

③用疑问代词的疑问句 The question with an interrogative pronoun

用"谁"、"什么"、"哪"、"哪儿"、"怎么样"、"多少"、"几"等疑问代词提问。例如：

An interrogative pronoun such as "谁", "什么", "哪", "哪儿", "怎么样", "多少" or "几" is used to raise a question, e.g.

(1) 谁是你们的老师？ (2) 哪本书是你的？

(3) 你身体怎么样？ (4) 今天星期几？

④用"还是"的选择疑问句 The alternative question with "还是"

当提问人估计到有两种答案的时候，就用"还是"构成选择疑问句来提问。例如：

When one predicts that there will be two possible answers to the question he is going to ask, he will use the alternative question with "还是", e.g.

(1) 你上午去还是下午去？ (2) 他是美国人还是法国人？

(3) 你去看电影还是去看京剧？

❺ 用"呢"的省略式疑问句 The elliptical question with "呢"

(1) 我很好,你呢?　　(2) 大卫看电视,玛丽呢?

❻ 用"……，好吗？"提问 The question with "……，好吗？"

这种句子常常是提出建议,征求对方意见。例如:

A sentence of this type is usually used to put forward a suggestion or ask the opinion of the hearer, e.g.

我们明天去，好吗?

三、练习 Exercises

❶ 回答问题 Answer the questions

(1) 用带简单趋向补语的句子回答问题 Answer each of the following questions, using a sentence with a simple directional complement

① 你带来词典了吗?
② 你妈妈寄来信了吗?
③ 昨天下午你出去了吗?
④ 他买来橘子了吗?

(2) 按照实际情况回答问题 Answer the following questions according to actual circumstances

① 你是从哪儿来中国的? 你是怎么来的?
② 你在哪儿上课? 你骑自行车去上课吗?
③ 你常常看电影还是常常看电视?
④ 你们学校中国学生多还是外国留学生多?
⑤ 你去过长城吗? 你玩儿得高兴不高兴? 你照相了吗? 照得怎么样?

❷会话（用下列表示感谢、迎接、招待的句子） Conversations (Use the following sentences spoken at a time when you express gratitude to,give a welcome to, or give an entertainment to somebody

(1) 感谢 Gratitude

谢谢!

感谢你……

麻烦你了!

(2) 迎接 Welcome

欢迎您!

路上辛苦了。

路上顺利吗?

什么时候到的?

(3) 招待 Reception

你喜欢什么酒?

别客气,多吃点儿。

为……干杯!

很好吃。

不吃(喝)了。

吃饱了。

❸语音练习 Phonetic drills

(1) 声调练习：第四声＋第四声 Drill on tones:4th tone + 4th tone

shàng kè (上课)

zài jiàoshì shàng kè (在教室上课)

xiànzài zài jiàoshì shàng kè (现在在教室上课)

bì yè (毕业)

xià ge yuè bì yè (下个月毕业)

dàgài xià ge yuè bì yè (大概下个月毕业)

(2) 朗读会话 Read aloud the conversation

A：Wǒ zuì xǐhuan xióngmāo.

B：Wǒ yě xǐhuan xióngmāo.

A：Wǒmen qù dòngwùyuán ba.

B：Hǎo jí le! Xiàwǔ jiù qù.

四、阅读短文 Reading Passage

阿里(Ālǐ)：

你好！听说你要去北京语言大学学习了，我很高兴。我给你介绍一下儿那个学校。

语言大学很大，有很多留学生，也有中国学生。留学生学习汉语；中国学生学习外语(wàiyǔ foreign language)。

学校里有很多楼。你可以住在留学生宿舍。留学生食堂就在宿舍楼旁边。他们做的饭菜还不错。

学校里有个小邮局，那儿可以寄信、买邮票，也可以寄东西。

离学校不远有个商店，那儿东西很多，也很便宜。我在语言大学的时候，常去那儿买东西。

你知道吗？娜依(Nàyī name of a person)就在北京大学学习。北大离语言大学很近。你有时间可以去那儿找她。

娜依的哥哥毕业了。上个月从英国回来，现在还没找到工作呢。他问你好。

好，不多写了。等你回信。

祝(zhù to wish)你愉快！

你的朋友莎菲(Shāfēi Sophie)

2005年5月3日

词汇表 Vocabulary

A

啊	(叹、助)	a	17
哎呀	(叹)	āiyā	15
爱人	(名)	àiren	7

B

八	(数)	bā	2
爸爸	(名)	bàba	1
吧	(助)	ba	8
百	(数)	bǎi	14
半	(数)	bàn	8
帮	(动)	bāng	15
饱	(形)	bǎo	20
保龄球	(名)	bǎolíngqiú	8
杯	(名)	bēi	13
北边	(名)	běibiān	10
本	(量)	běn	13
本子	(名)	běnzi	13
笔	(名)	bǐ	19
毕业		bì yè	18
别	(副)	bié	19
别的	(代)	biéde	11
宾馆	(名)	bīnguǎn	9
不错	(形)	búcuò	15
不用	(副)	búyòng	19
不	(副)	bù	3
不好意思		bù hǎo yìsi	19

C

菜	(名)	cài	16
操场	(名)	cāochǎng	10
层	(量)	céng	9
茶	(名)	chá	16
差	(动)	chà	8
长	(形)	cháng	12
尝	(动)	cháng	11
常(常)	(副)	cháng (cháng)	9
超市	(名)	chāoshì	5
车	(名)	chē	13
吃	(动)	chī	8
出	(动)	chū	15、17
出租汽车		chūzū qìchē	18
穿	(动)	chuān	12
船	(名)	chuán	17
床	(名)	chuáng	8
词典	(名)	cídiǎn	16
次	(量)	cì	19
从	(介)	cóng	18